셀트리온 녹십자 메디톡스 종근당 한미약품 한독

KB000219

바이오의약품 산업분야 취업가이드

저자 미래기술정보리서치

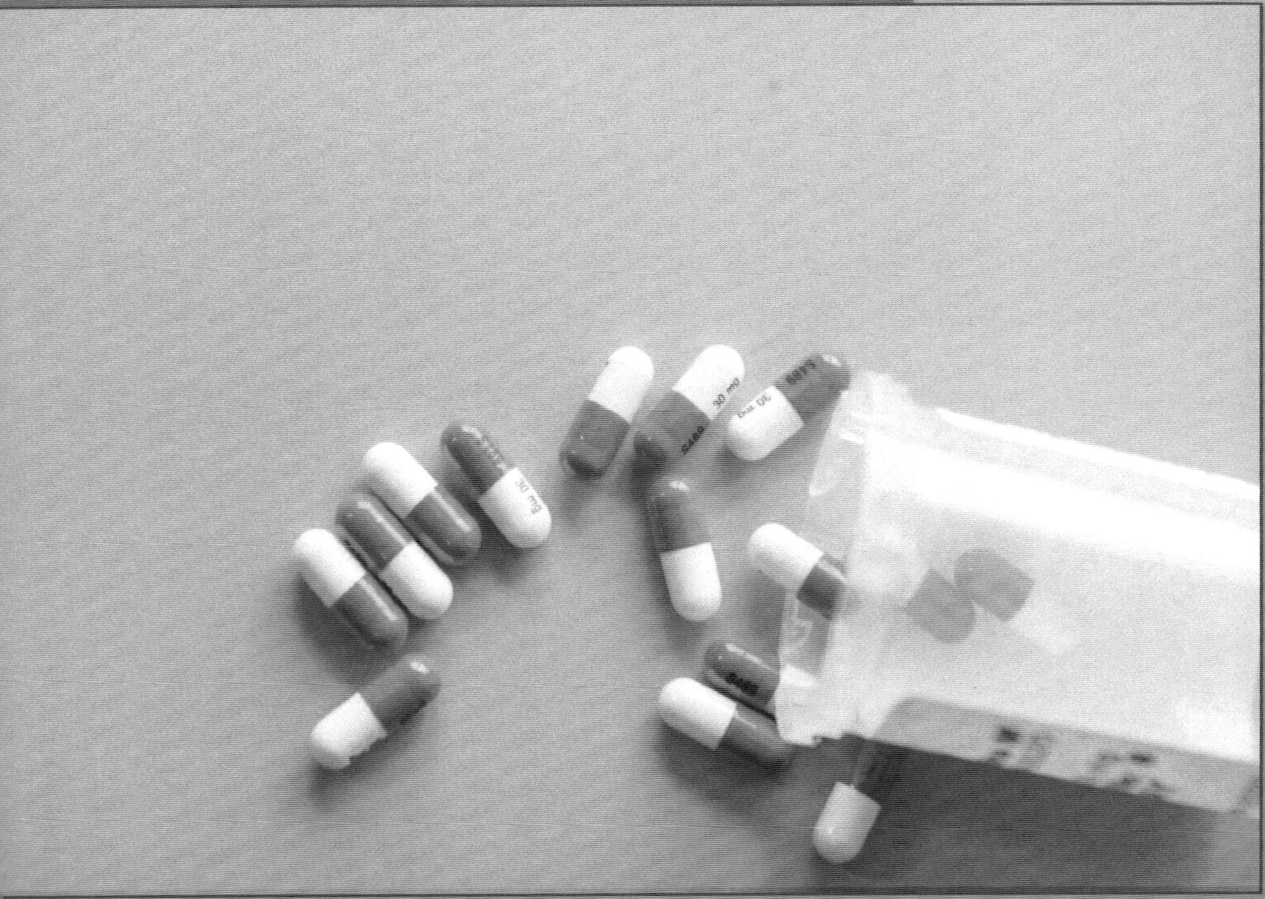

HEALTHCARE CELLTRION™ GC 녹십자 Medytox

종근당 Hanmi 한미약품 HANDOK 한독

㈜ 비티타임즈

<제목 차례>

1. 서론

1. 서론

전 세계적으로 인구 고령화가 심화되고, 각종 만성질환이 만연해지면서 글로벌 의약품 시장은 빠르게 성장하고 있다. 그러나 화학적 합성 방법을 통한 신약개발은 갈수록 한계에 부딪히고 있다. 이렇듯 세계 각국의 제약회사들이 새로운 성장 동력을 찾고 있는 상황에서 바이오의약품 산업이 새로운 의약품 산업으로서 주목받고 있다.

비교적 독성이 적고, 다양한 난치성 질환 치료 효과가 뛰어나며, 개인별 맞춤 의약품에 활용할 수 있다는 점은 전통적인 화학 합성 의약품과 비교했을 때 바이오의약품이 갖는 장점이다. 뿐만 아니라 R&D Risk가 비교적 적고, 치료효과가 높고 부작용이 적다는 점, 실패확률이 비교적 낮고 투자 대비 수익이 높은 고부가가치 산업이라는 점 역시 매력적인 요소이다. 이러한 사실을 반영하듯이 현재 전 세계 매출 top 10 의약품 중 대부분이 바이오의약품이다. 다양한 바이오의약품 중에서도 특히 적용 범위가 넓은 항체의약품과 바이오의약품의 카피약인 바이오 시밀러 제품이 큰 관심을 끌고 있다.

바이오의약품은 복잡한 결정구조를 가지고 있어 제네릭에 비해 개발하는데 높은 기술력과 오랜 시간 그리고 많은 비용을 필요로 한다. 그럼에도 불구하고 국내 기술력 증진으로 인해 우리나라에서도 다양한 바이오의약품이 생산되고 있으며 앞으로 그 규모가 더욱 커질 전망이다. 정부 차원에서 대규모 지원이 계획되어 있으며, 국내 굴지의 제약회사에서도 바이오의약품에 전력을 집중할 것을 공인한 상태이기 때문이다. 국내외 의약품 수요는 지속적으로 증가할 것으로 예상되기 때문에 경쟁력 있는 바이오의약품이 개발될 경우 많은 수익을 낼 수 있을 것으로 보인다.

차세대 유망산업으로 떠오르고 있는 바이오의약품 산업분야 관련해서 취업시 필요한 정보들을 제공하고자 한다.

2. 바이오의약품 관련 기업들

2. 바이오의약품 관련 기업들

가. 셀트리온

[그림 3] 셀트리온 로고

1) 기업 소개

셀트리온의 모체는 1991년 2월 세워진 (주)동양연구화학이다. 2001년 12월 (주)오알켐으로, 2008년 8월 (주)셀트리온으로 상호가 변경되었다. 셀트리온의 주력 사업은 바이오시밀러 사업, 항체 신약 개발 사업, 단백질 의약품 계약생산사업이다.

셀트리온의 주요 생산제품에는 바이오의약품(CT-P13 바이오시밀러), 케미컬의약품(고덱스, 램시마) 등이 있다. 계열회사로는 (주)셀트리온홀딩스, (주)셀트리온헬스케어, (주)셀트리온지에스씨, (주)셀트리온에스티, (주)셀트리온제약, (주)셀트리온화학연구소, 등이 있다.

Remsima (성분명 : infliximab)	Herzuma (성분명 : trastuzumab)
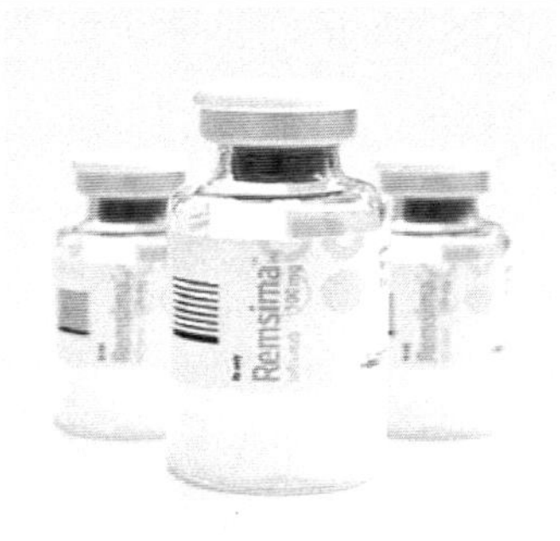	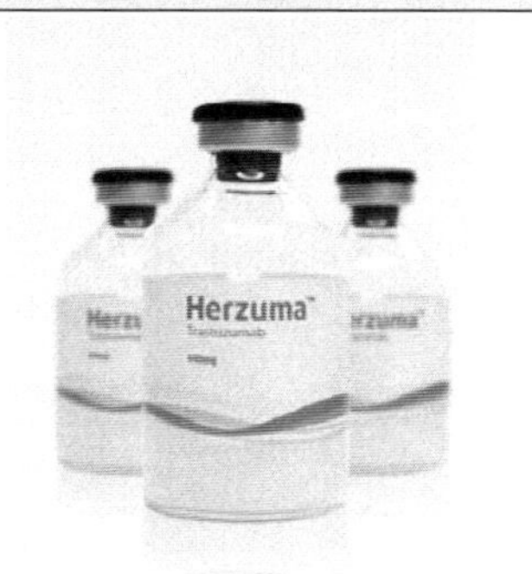

[표 1] 셀트리온 주요제품

셀트리온은 2022년 연결 기준 매출액 2조2839억 원, 영업이익 6471억 원, 영업이익률 28.3%를 달성했다고 밝혔다. 전년 대비 매출액은 20.6%가 증가한 것으로 역대 최대 규모의 연간 매출을 기록했다.

2022년 4분기의 경우 매출액 5106억 원, 영업이익 1006억 원으로 코로나19 및 CMO 관련 매출이 감소했음에도 불구하고 바이오시밀러 사업 매출은 전년 동기 대비 50% 이상 성장하며 순항 중에 있다.

셀트리온은 본업인 바이오시밀러 사업의 성장에 힘입어 역대 최대 연간 매출을 달성했다. 특히, 램시마IV의 미국 점유율 증가와 신규 제품 출시로 매출이 증가했으며, 케미컬의약품 매출 역시 전년 대비 30% 이상 증가하며 매출 성장을 견인했다.

영업이익은 전년 대비 일부 감소했으나 상대적으로 수익성이 낮은 램시마IV의 매출비중 증가 및 진단키트 관련 일시적 비용 발생에 의한 것으로, 진단키트 관련 일시적 비용을 제외하면 연간 30%대 영업이익률을 유지했다. 또한, 진단키트 평가손실은 지난 2022년 4분기까지 모두 처리 완료했으며 향후에는 관련 영향이 미미할 것이다.

셀트리온은 신규 바이오시밀러 제품 출시, 바이오시밀러 제형 및 디바이스 차별화, 바이오신약 개발 등 미래 신성장 동력 확보를 통해 2023년에도 성장을 지속한다는 계획이다.[1)]

1) HIT NEWS '셀트리온, 매출 2조2839억... 역대 최대 매출'

2) 채용공고 소개[2)]

가) 분야별 신입/경력 수시채용

모집부문	신입/경력	자격요건	근무지
허가	신입/경력	**[담당업무]** · 글로벌 의약품 허가 업무 - 허가 문서 작성 및 제출 - 허가 유지 업무 - 교제당국 교섭 및 규제 동향 파악 - 허가계획 수립 및 프로젝트 개발 일정 관리 **[자격요건]** · 생명공학, 생화학, 약학, 수의학 등 관련 전공 학사 이상 학위 소지자 · 영어 능통자 **[우대 사항]** · 석사 이상 학위 소지자 · 의약품 글로벌 허가 업무 경력 2-5년 보유자 - 의약품 허가 관련 프로젝트 관리 업무 경력 1~5년 보유자	인천 (송도)
케미컬 허가	경력	**[담당업무]** · 글로벌 의약품 CMC RA - 해외 의약품 인허가 진행 및 관리 - 규제기관 제출용 Core CTD 문서(CMC파트) 작성 및 검토 - Core CTD 문서(CMC파트) 전체 관리 - CMC RA 부서 운영 및 관리 개발 일정 관리 **[자격요건]** · 양학, 화학, 생물학, 간호학, 수의학 등 관련 전공 학사 이상 학위 소지자 · 의약품 RA, R&D, 품질, 생산 등 관련 업무 경력 10년 이상 보유자(관리자급) · 비즈니스 영어 가능자 **[우대 사항]** · 신약 또는 개량신약 해외 허가 등록업무 경험 보유자 · 석사 이상 학위 소지자 - 약사 면허 소지자	서울

2) 인크루트

케미컬 임상	신입/경력	**[담당업무]** · 글로벌 신약/개량신약개발 허가임상 운영 - CRO/벤더 관리 및 임상 프로젝트 설계/관리 - 임상프로젝트 예산/일정/품질관리 - 임상시험 관련 문서 개발 및 검토 **[자격요건]** · 의학, 약학, 간호학, 생명공학, 통계학 등 관련 전공 학사 이상 학위 소지자 · (경력) 임상시험 관련 경력 3년 이상 보유자 **[우대 사항]** · 약사, 간호사, 수의사, 의사 면허 소지자	서울

나) 완제의약품 이물검사 분야 수시채용

모집부문	신입/경력	자격요건	근무지
완제의약품 이물검사	신입/경력	**[담당업무]** · 완체의약품 육안검사(액상 및 동결건조 제형의 완제의약품 적부 판별) **[자격요건]** · 고졸 혹은 전문학사 학위 소지자 · 양안 시력 1.0 이상이며 (교정 시력 허용), 색맹/색각 등의 이상이 없는 자 · 해외 여행에 결격사유가 없는 자 · 남자의 경우 병역필 또는 면제자 **[우대 사항]** · 완제의약품 이물검사 경력 보유자	인천 (송도)

3) 전형절차

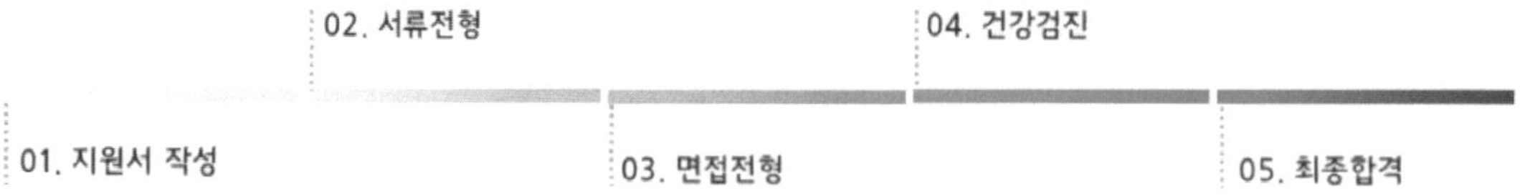

4) 취업 TIP

가) 채용 현황

신입/경력 채용현황

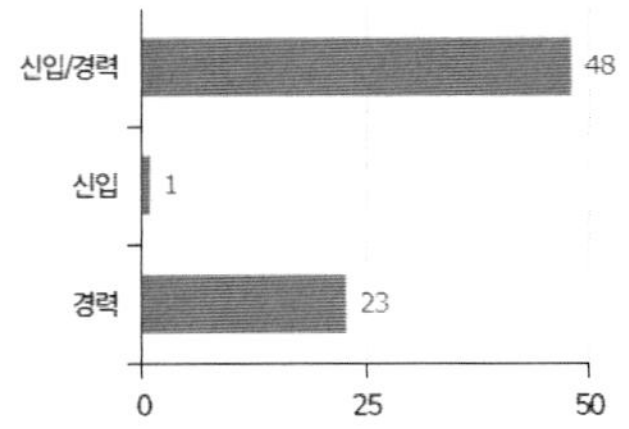

고용형태

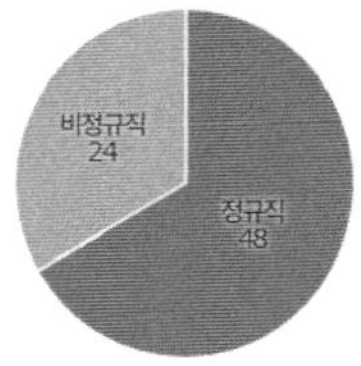

주요 모집 직종

의약품	28
품질관리	19
인사기획	15
인사관리	15
품질검사	15

최근재직자 현황

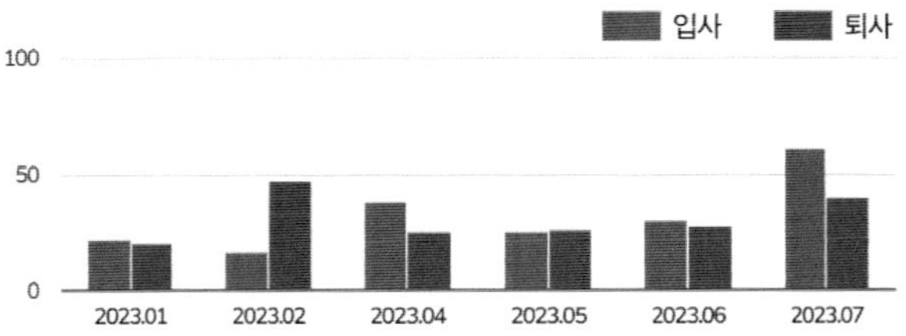

총 인원2,224명

정보제공 : 국민연금공단

나) 참고 내용

주요 서비스	제반기술 및 인프라 확보 / 자체제품 개발 / 신약 개발
인재상	창의적 인재 / 원칙을 엄수하는 인재 / 도전을 갖춘 인재 / 열정을 갖춘 인재
비전	차세대 바이오 의약품의 개발과 공급을 통한 세계적 종합 생명 공학기업으로 성장
미션	인류의 건강과 복기 증진의 가치 실현

다) 직무 소개

R&D	제품개발	임상개발	품질
· 제품기획	· RA	· 임상기획	· 품질관리약사
· 신약개발	· 케미컬개발	· 약물감시	· 품질보증
· 바이오의약품개발	· 제약개발	· 데이터관리	· 품질관리
· 연구지원	· 화장품허가	· 임상통계	
· CMC 통계			

생산

· 생산기술
· 배양 및 정제
· 밸리데이션
· 엔지니어링

기타

· SCM
· 지식재산
· 법무
· 세무
· 자금
· IR
· 인사
· SI

나. GC녹십자

1) 기업소개

[그림 10] GC녹십자 로고

녹십자는 (주)녹십자홀딩스를 지주회사로 하는 녹십자그룹의 주력 기업으로서 주요 사업은 특수의약품과 전문의약품, 일반의약품의 제조 및 판매이다. 녹십자는 B형 간염백신, AIDS 진단용 시약, 유행성출혈열 백신, 수두백신, 결핵항원 진단시약, 유전자 재조합 혈우병치료제, 천연물신약 골관절염치료제, 헌터증후군 치료제 등 만들기 힘들지만 꼭 있어야 하는 특수의약품에 주력하여 다른 제약기업과 차별화를 꾀하였다.

또한 1971년 국내 최초로 알부민을 생산한 기업이기도 하다. 지주회사인 (주)녹십자홀딩스를 중심으로 크게 제약, 건강, 재단, 해외의 4개 부문으로 16개의 계열사가 있다. 계열사로는 (주)녹십자엠에스, (주)지씨제이비피, (주)지씨에이치앤피, (주)녹십자백신, 농업회사법인 인백팜(주), Green Cross America,Inc. 등이 있다.

헌터라제 (성분명 : 이두설파제-베타)	그린진 에프 주 (성분명 : 유전자재조합 혈액응고 제Ⅷ인자)
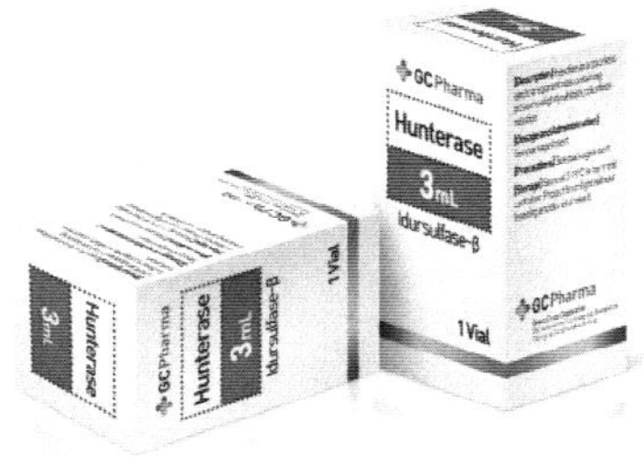	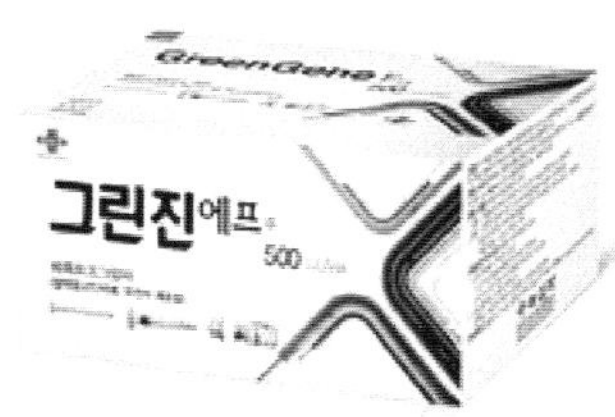

[표 5] 녹십자 주요제품

녹십자는 온라인 기업설명회를 통해 미국 진출 방안과 현재 개발 중인 'CAR-T 치료제(키메라 항원 수용체 T세포 치료제)' 개발 성과를 발표했다. CAR-T 치료제의 경우 내년 하반기 미국에서 임상1상 진입을 목표로 두고 있다. 이 치료제 핵심은 메소텔린(Mesothelin)을 특이적으로 타깃하는 것이다. 이를 통해 고형암까지 깊숙이 침투하는 치료제로 만들어졌다. 고형암 대상 'MSLN-CAR-T(MCT세포) 치료제'로 불린다.

연구는 MCT세포를 췌장암이 발생한 동소이식 마우스모델 3개 대조군(그대로 유지, 복강주사, 정맥주사 등 3종)에 투여하는 방식으로 진행됐다. 보다 정밀한 연구를 위해 실험쥐 피부가 아니라 실제로 췌장암이 발생한 동소이식 모델을 활용했다. 그 결과 췌장암을 그대로 둔 대조군은 췌장암이 모두 커졌다. 반면 복강주사와 정맥주사 방식으로 MCT세포를 투여한 마우스모델은 2차 투여에서 췌장암 세포가 100% 사멸돼 완전관해(CR)를 나타냈다.[3)]

3) "암 정복 멀지 않았다"… GC녹십자셀, 실험쥐 췌장암 세포 100% 사멸, 김민범, 동아닷컴, 2020.03.13

2) 채용공고 소개[4)]

가) R&D부문 - Discovery 후보물질발굴 분야

모집부문	신입/경력	자격요건	근무지
연구개발	신입/경력	**[담당업무]** · 타겟 질환 설정 · 면역학, 바이러스학, 분자생물학 실험 및 분석 · 동물에서의 면역원성 평가 · 신약후보물질의 MOA 연구 **[자격요건]** - 석사이상 학위 보유자 혹은 보유 예정자 - 면역학, 바이러스학, 분자생물학 관련 전공 **[우대사항]** · 면역 관련 실험 유경험자 (eg. FACS) · 바이러스 배양 유경험자 · In vitro 및 in vivo 실험 유경험자	경기 (용인)

나) 허가관리 채용

허가관리	경력	**[담당업무]** · 허가등록 문서 작성 및 검토 · 신규 품목(제네릭, 개량신약) 개발/허가(IND/NDA) 및 출시 · 개발 프로젝트의 PL(Project Leader)로서, 내부 유관부서 협업, 외부 기관(식약처, 수탁 개발사/제조사)과 논의 및 미팅 수행 · 기 허가 품목(전문의약품, 일반의약품)의 허가 변경 및 갱신 **[자격요건]** · 국내 및 해외 인허가 업무 경력 5년 이상 · CTD에 포함되는 각종 문서에 대한 이해 · 국내 및 해외 인허가 프로세스, 규정, 가이드라인에 대한 이해 · 전문의약품, 일반의약품 인허가 및 허가변경 관련 지식 필요 · 만성질환치료제의 진료지침, 가이드라인, 시장트렌드에 대한 이해 · 약가 제도 및 정책에 대한 이해 **[우대사항]** · 약사 면허, 석사학위 소지자, 영어 우수자	경기 (용인)

4) 인크루트

다) [학사이상(약사)] 학술, 제조부서책임자, 품질부서책임자

학술	경력	**[담당업무]** · 제품&질환 교육 · MKT 학술 지원 · 의료 전문가와 학술 커뮤니케이션 · 내외부 학술 문의 응대 · 학술&교육 관련 프로세스 개발 및 개선 **[자격요건]** · 약학 학위 소지자 · 학술, 마케팅, 임상 등 경력 2년 이상 **[우대사항]** · 약사 자격증 · 영어 능통자 · 제약 영업&마케팅 경험자 · 내외부 관련자와 소통 기술	경기 (용인)
제조부서 책임자	신입/경력	**[담당업무]** · 의약품/의약외품 품질관리약사 업무 - GMP운영, 허가, 제품/원자재 출하, 밸리데이션, 변경 관리, 문서승인 등 **[자격요건]** · 학사 이상(약사면허 필수) **[우대사항]** · 제약회사 관리약사 경험 보유자	충청 (음성)
품질부서 책임자	신입/경력	**[담당업무]** · 의약품/의약외품 품질관리약사 업무 - GMP운영, 허가, 제품/원자재 출하, 밸리데이션, 변경 관리, 문서승인 등 **[자격요건]** · 학사 이상(약사면허 필수) **[우대사항]** · 제약회사 관리약사 경험 보유자	충청 (음성)

3) 전형절차

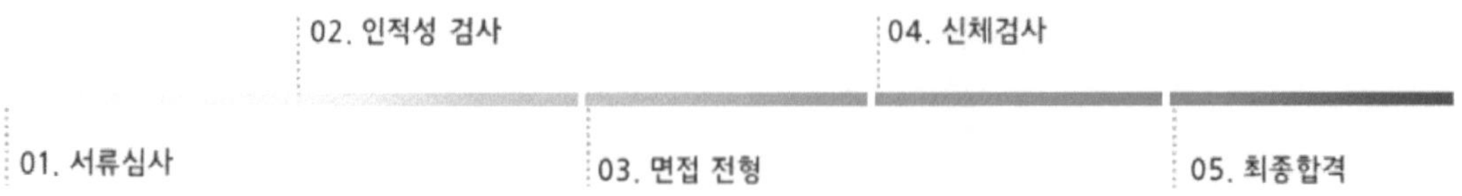

4) 취업 TIP

가) 채용 현황

신입/경력 채용현황

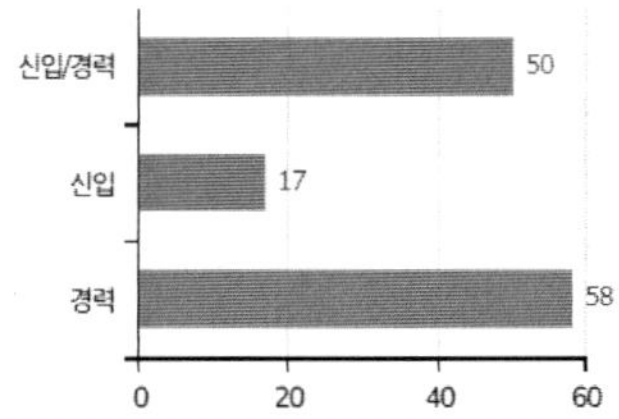

고용형태

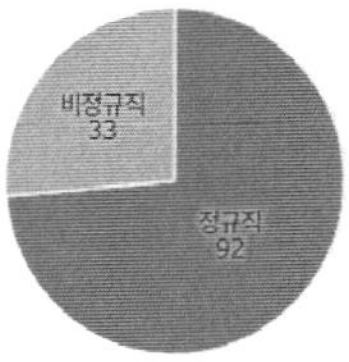

주요 모집 직종

의약품	20
생산관리	18
품질관리	18
품질보증	16
품질검사	15

최근재직자 현황

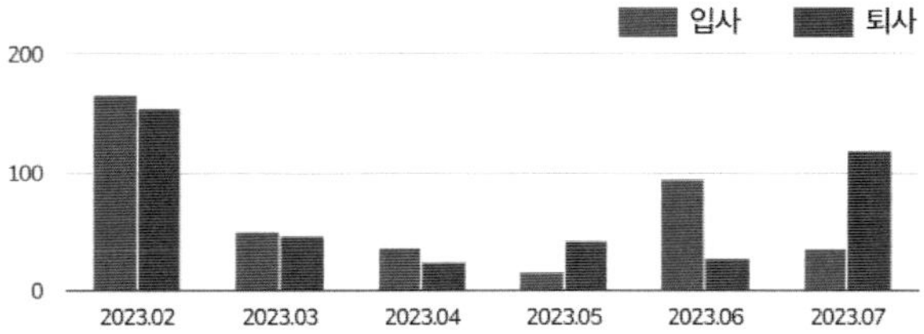

총 인원2,296명

ⓘ 정보제공 : 국민연금공단

나) 참고 내용

주요 서비스	제약 / 바이오 / 글로벌 연구
인재상	Global Competence / Great Competitor / Good Companion
비전	건강 산업의 글로벌 리더
미션	인류의 건강한 삶에 이바지

다) 직무 소개

제약	Healthcare	Overseas	Foundation
· 녹십자 · 녹십자 Cell · 녹십자 MS · 녹십자웰빙	· 녹십자랩셀 · 녹십자 Genome · 녹십자헬스케어	· GCHK · GC China · 거린커 · GCNA · GCBT · GCAM	· 목암생명과학 연구소 · GC Labs · GC i-MED

기타

- 녹십자 EM
- 인백팜

다. 메디톡스

[그림 17] 메디톡스 로고

1) 기업 소개

메디톡스는 2000년 5월에 (주)앤디소스로 설립한 뒤, 2000년 7월에 (주)메디톡스로 상호를 변경하였다. 메디톡스의 매출은 100%가 보톡스 의약품에서 나온다. 메디톡스는 클로스트리디움 보툴리늄 A형독소 및 보툴리늄 독소를 이용한 바이오 의약품의 연구·개발 및 제조·판매를 주요 사업 분야로 삼고 있다.

메디톡스는 국내에서 메디톡신이라는 브랜드로 판매하며 판매권은 태평양제약이 독점적으로 가지고 있다. 해외의 경우 Neuronox라는 브랜드명으로 직접 수출하고 있다. 종속회사로 판매법인 (주)메디톡스코리아가 있다.

이노톡스 주 (성분명 : 클로스트리디움 보툴리늄 독소 type A)	메디톡신 주 (성분명 : 클로스트리디움 보툴리늄 독소 type A)
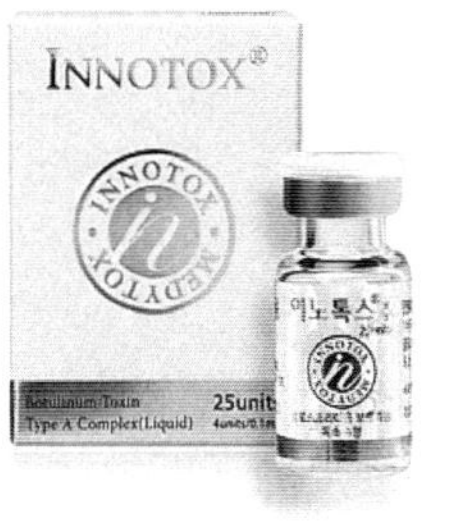	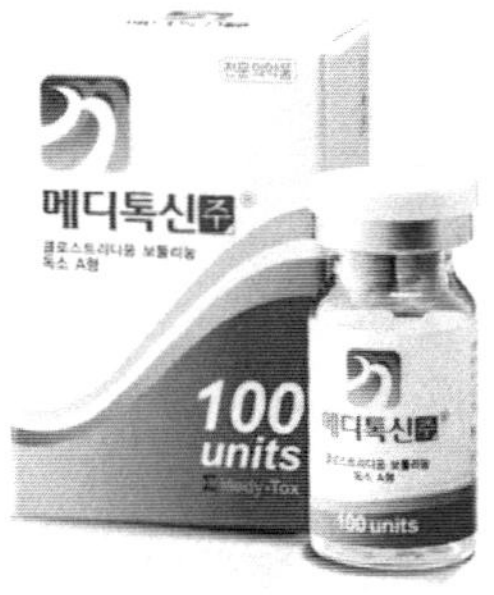

[표 10] 메디톡스 주요제품

2021년 초, 메디톡스社의 보툴리눔 제제 '이노톡스주'가 품목허가 취소되었다. 식약처는 품목허가가 취소된 의약품이 사용되지 않도록 메디톡스에 유통 중인 의약품을 회수·폐기할 것을 명령하고, 해당 의약품을 보관 중인 의료기관 등에는 회수에 적극적으로 협조할 것을 당부했다.

이후 2021년 9월 엘러간으로부터 액상형 보툴리눔 톡신 제제 'MT10109L'에 대한 권리를 반환받으면서 관련 계약금 일시 반영으로 2021년 순이익이 급증했다.

메디톡스의 2021년 흑자 전환은 엘러간의 권리 반환에 따른 일시적인 효과가 컸지만 2022년에는 주력 사업의 매출 성장이 있었다. 전년대비 톡신 제제 해외 수출이 99%늘고, 국내 매출도 26% 증가했다.

특히 수익성이 좋은 '코어록스' 매출 비중이 상승하면서 영업이익 증가에 영향을 미쳤다. 이러한 실적 개선은 대웅제약과 벌이고 있는 보툴리눔 톡신 균주 민사소송 1심 결과가 나오기 전에 이뤄진 것이다.

메디톡스는 2022년 연결 재무제표 기준 매출 1951억 원, 영업이익 467억 원을 기록했다. 전년대비 각각 6%, 35% 증가한 것으로 집계됐다.

시장정보업체 에프앤가이드에 따르면 메디톡스의 2023년 매출액과 영업이익은 각각 2189억 원, 565억 원을 기록할 것으로 전망된다. 이는 각각 2022년도보다 12.2%, 21% 증가한 수치다. 해당 수치는 2022년 12월에 추정됐기 때문에 2023년 소송 판결 이후 기대치는 제외된 수치이다.

한편, 대웅제약을 상대로 한 민사소송에서 최종 승소하면 500억 원의 손해배상금과 함께 수백억 원대의 로열티 수입이 발생할 전망이다. 일각에서는 메디톡스사 이번 소송 승리로 대웅제약과 휴젤의 국내 시장점유율을 일부 빼앗아올 수 있을 것으로 기대하고 있다.[5]

---

5) PHARM EDAILY '메디톡스, 올해 실적이 더 기대되는 이유'

2) 채용공고 소개[6)]

가) 2023 메디톡스 그룹 임상·RA 부문 신입/경력사원 채용

모집부문	신입/경력	자격요건	근무지
임상기획 (MW)	신입	**[담당업무]** · 국내 임상시험 관련 문서 작성 - 국내 임상시험 Medical Writing - 임상시험자 자료집 작성 - 임상시험 계획서 및 동의서 개발 - 결과보고서 작성 - 시험대상자 자료 검토 - 이상반응/병력/병용약물 의학적 코딩 수행 - 의료기기 임상 평가 보고서 작성 **[자격요건]** · 석사 이상 · 바이오 등 유관 전공 · 문서 작성 역량을 보유하신 분 · 논문 검색 및 요약/정리 경험이 있으신 분 · 영어 활용이 우수하신 분 **[우대사항]** · 임상시험 관련 지식을 보유하신 분 · 비임상 및 임상자료 분석 경험이 있으신 분	충남 (천안)
국내RA	신입	**[담당업무]** · 의약품/의료기기 인허가 - 신제품 허가 요건 검토 및 허가 전략 수립 - 신제품 허가 문서 작성 및 검토 - 품목 허가 유지 및 사후 관리 업무 - 식약처 등 관계당국 소통 및 문제 해결 **[자격요건]** · 학사 이상 · 약학, 화학, 생명과학, 제약, 생명공학 등 유관 전공 · 영어 활용이 가능하신 분 **[우대사항]** · 약사 자격증을 취득하신 분 · 약사법 등 법령 지식을 보유하신 분 · 의약품 개발 규제 및 과학적 근거 지식을 보유하신 분	충북 (청주)

6) 인크루트

나) 약효연구 신입/경력사원 채용[7)]

모집부문	신입/경력	자격요건	근무지
연구개발	신입/경력	**[담당업무]** · 비임상 약효 연구 - 보툴리눔 독소 제제 마우스 역가시험 수행 - 보툴리눔 독소 제제 비임상 약효 평가 **[자격요건]** · 전문학사 이상 · 신입 또는 경력 2년 이상~5년 이하 · 실험동물학, 생물학, 생명과학 등 유관 전공 · 동물시험 수행 경험자 **[우대사항]** · 보툴리눔 독소 제제 마우스 역가시험 경험자 · 실험동물기술원 1급 취득자	경기 (수원)

다) 2023 메디톡스 그룹 생산·품질 부문 신입/경력사원 채용

모집부문	신입/경력	자격요건	근무지
생산,품질	신입	**[담당업무]** · 원액 생산 및 GMP 업무 수행 - 보툴리눔 톡신 원료의약품 생산 - Clostridum Botulinum 균 배양 및 신경 독소 정제 - GMP 문서 및 SOP/WI 제/개정 - 생산 작업장 청정도 및 원자재 관리 **[자격요건]** · 학사 이상 · '고위험병원체 취급자 자격기준'에 합당한 전공을 이수하신 분(보건의료 및 생물관련 분야 전공) · 상기 전공 및 전공 과목을 이수하신 분 **[우대사항]** · 바이오 의약품 DS 생산/공장 경험 및 지식을 보유하신 분 · 배양 또는 정제 설비 관련 지식을 보유하신 분 · 미생물 배양 및 정제 작업 경험 및 지식을 보유하신 분 · GMP 관련 Regulation 및 Guideline 지식을 보유하신 분 · 영어 활용이 우수하신 분	경기 (수원)

7) 효 (爻)

3) 전형절차

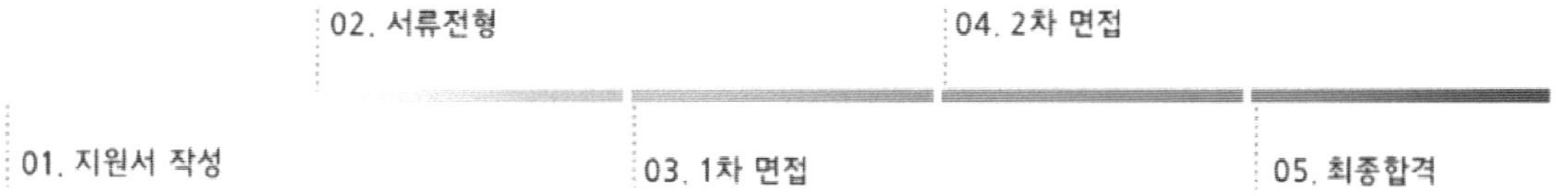

4) 취업 TIP[8)]

가) 채용 현황

신입/경력 채용현황

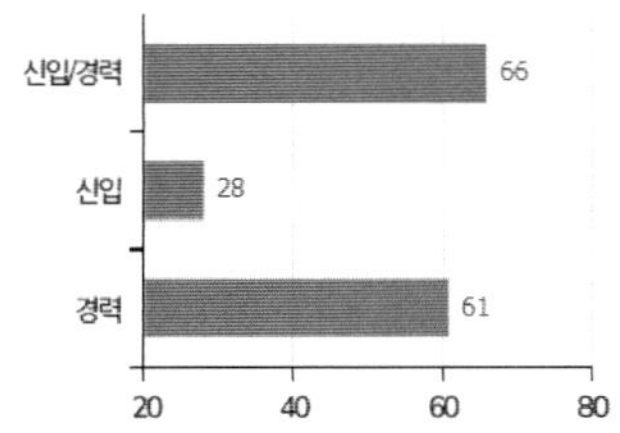

고용형태

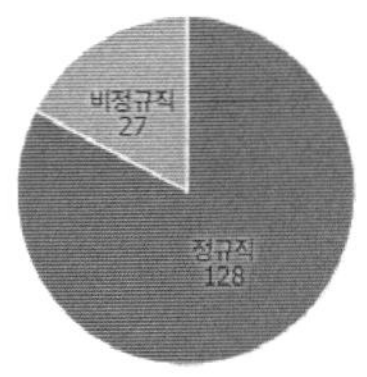

주요 모집 직종

의약품	30
품질관리	28
품질보증	23
품질검사	22
생산관리	19

최근재직자 현황

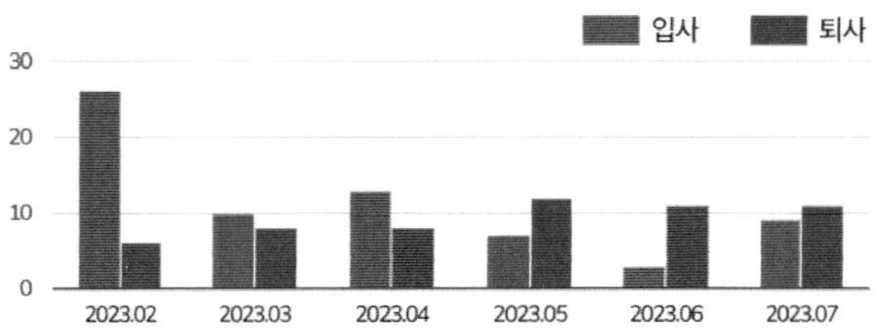

총 인원699명

정보제공 : 국민연금공단

나) 참고 내용

주요 서비스	보툴리눔 특신 제제 / 히알루론산 필러 / 의료기기 / 전문의약품
인재상	팀워크 / 주인정신 / 역량개발 / 끊임없는 혁신 / 참신성
비전	2022년 혁신적인 글로벌 20위 바이오 제약기업
미션	글로벌 바이오제약 TOP 20 기업 진입

8) 사람인

다) 직무 소개

임상
- 임상 개발

RA
- RA

생산본부
- QA
- QC

영업
- 해외영업
- 국내영업

R&D
- 항체의약품 개발
- 면역치료제 개발
- 파마바이오틱스 개발
- 합성 신약개발
- 항암제합성 신약개발
- 항암제 개발
- 생체 고분자 소재 개발
- 분석법 개발

경영/관리
- 재무기획
- 회계
- IR
- 인사
- 마케팅
- 벤처투자

라. 종근당

[그림 24] 종근당 로고

1) 기업 소개

종근당은 2013년 투자사업부문을 담당하는 (주)종근당홀딩스와 의약품사업부문을 담당하는 (주)종근당으로 인적 분할되어 설립된 전문 의약품 제조 기업이다.

제약업계에 따르면 종근당의 당뇨병 신약 자누비아가 2023년 9월 특허 만료된다. 신약이란 특허 보호를 받는 의약품으로 신약이 특허 만료가 되면 제네릭(generic)이 쏟아져 나오게 된다. 제네릭이란 성분은 신약과 동일하지만 특허 보호를 받지 않는 복제약을 말한다.

제약업계에서는 2023년 9월 자누비아 특허가 만료되면 제네릭이 쏟아져 나올 것으로 전망하고 있다. 식품의약품안전처에 따르면 자누비아와 성분이 사실상 동일한 제네릭의 품목 허가 건수가 100개에 이르고 있다.

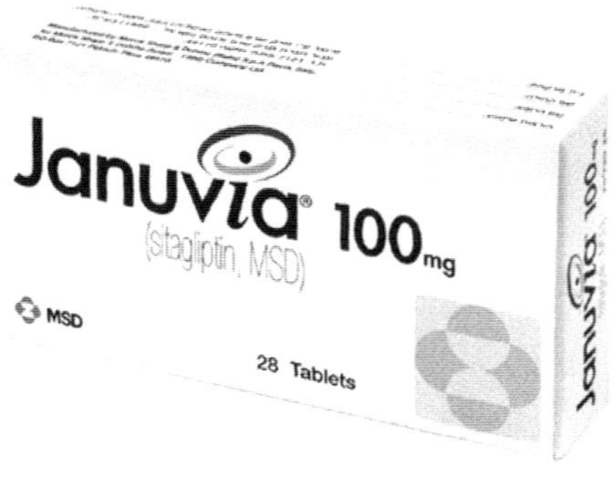

[그림 25] 당뇨병 치료제 '자누비아'

자누비아는 종근당 매출액의 10% 가량을 차지하고 있는 효자 품목이다. 지난해 종근당의 품목별 매출액 비중을 살펴보면 자누비아가 1위(9.3%)를 차지했다. 금액으로 1385억원이다. 이어 케이캡(8.2%. 위식도역류질환), 프롤리아(6.4%. 골다공증), 글리아티린(5.5%. 뇌혈관질환), 아토젯(5.4%. 고지혈증), 딜라트렌(3.6%. 고혈압), 이모튼(3.2%. 골관절염) 순이다.

그렇지만 제약업계에서는 자누비아 특허만료가 종근당 매출액에 별다른 영향을 미치지 않을 것으로 보고 있다.

가장 큰 이유는 자누비아의 뒤를 잇는 신약 론칭이 대기하고 있기 때문이다. 종근당은 매출액의 10% 이상을 연구개발비로 쏟고 있는 대표적 신약 개발사이다. 국내 제약사 가운데 매출액 대비 연구개발비가 10%가 넘는 곳은 대웅제약, 한미약품, 녹십자, 일동제약, 동화약품, 유나이티드제약, 신풍제약 등 10여곳에 불과하다.

종근당이 개발에 나선 신약 가운데 임상 3상을 통과한 품목은 CKD-828(고혈압. 2022년 한국승인). CKD-351(녹내장. 2018년 한국승인). CKD-371(당뇨. 2022년 한국승인). CKD-398(당뇨. 2017년 한국승인)의 4개가 있다. 임상 3상 이전 단계에 있지만 론칭은 오히려 앞설 것으로 전망되는 신약도 있다.

자가면역치료제 'CKD-506'은 유럽 임상 2상 단계로 종근당의 3번째 국산 신약이 될 가능성이 높다. CKD-506은 히스톤탈아세틸화효소6(HDAC6)을 억제해 염증을 감소시키고 면역을 조절하는 티(T)세포의 기능을 강화해 면역 항상성을 유지시키는 치료제다.

또, 사르코마리투스(CMT)·심장질환 치료제 'CKD-510'도 유럽 임상 2상을 준비 중이다. CKD-510은 희귀질환인 샤르코마리투스와 심장질환 치료 목적으로 개발하고 있다. 샤르코마리투스는 유전성 말초신경병증으로 유전자 돌연변이에 의해 운동신경과 감각신경이 손상돼 정상 보행이나 일상생활이 어려워지는 희귀질환이다. 현재까지 확실한 치료제가 없다.

신약 임상 시기는 CKD-506이 앞서고 있지만 CKD-510은 혁신성에서 더 높은 평가를 받고 있다. 통증 관리 및 요독성 소양증 치료제 'CKD-943'은 미국 바이오벤처기업 카라쎄라퓨틱스와 국내 독점개발·판매 계약을 체결했고 미국 임상 3상을 진행하고 있다. 업계에서는 종근당의 이들 신약이 2023년 하반기부터 본격 출시돼 자누비아의 특허만료를 상쇄할 것으로 보고 있다.

종근당의 매출액은 지속적으로 개선되고 있다. 2022년 실적을 살펴보면 매출액 1조 4883억원, 영업이익 1099억원, 당기순이익 800억으로 전년비 각각 10.8%, 16.0%, 88.8% 증가했다(이하 K-IFRS 연결). 종근당의 최근 5년 매출액 연평균증가율(CAGR)은 8.48%이다. 조(兆) 단위 매출액을 가진 기업이면서도 매출액 증가율이 두 자리수에 육박한다.

앞으로의 종근당은 유전자 치료제 연구센터를 통해 미충족 수요가 높고 기존의 방법들로 치료제 개발이 어려웠던 타겟(Undruggable Target)의 희귀•난치성 치료제를 개발할 계획이라고 밝혔다. 연구 및 임상시험과 관련해 산학연 협력과 교류를 강화하고 국내•외 기업들과 오픈 이노베이션을 통한 공동개발도 진행한다. 종근당 관계자는 “글로벌 세포·유전자치료제 시장은 지난 2021년 75억 달러에서 오는 2026년 약 556 억달러 규모로 연평균 약 49.1%의 높은 성장률이 기대된다”고 밝혔다.[9]

9) 더밸류뉴스 ‘종근당, 매출액 1위 특허만료에도 올해 실적 역대급...'업계 1위' 언제쯤?’

2) 채용공고 소개[10)]

가) 2023년 4차 공개채용_제어설계 6개 부문

모집부문	신입/경력	자격요건	근무지
재품개발	경력 및 신입	**[담당업무]** · 의약품 신제품 검토/기획/승인 - 중장기 신제품 검토 - 중장기 개량 신약 및 제네릭, 기타 신제품 개발 기안 - 개발 TC pipeline 관리 - 제품개발 진행 및 허가 진행 업무 **[자격요건]** · 학사 이상 **[우대사항]** · 경력자의 경우 유관경력 3년 이상 · 약사 면허 보유자 (취득 예정자 포함) · 영어 능통자	동탄 혹은 아산
제어설계 (PC)	경력	**[담당업무]** · 국내외 임상시험 과제 관리 · 임상시험 모니터링, 위수탁기관 관리 · 연구자 선정/응대/관리, 계획서 및 각종 임상시험문서 검토 · 임상시험 일정 계획 수립 및 관리 · 예산 수립 및 집행 관리 · IRB 보고 관련 업무 **[자격요건]** · 학사 이상 · CRA 경력 1년 이상 **[우대사항]** · 허가용 3상 임상시험 모니터링 유경험자자	동탄 혹은 아산

10) 인크루트

나) 종근당 수시채용

모집부문	신입/경력	자격요건	근무지
관리약사	신입/경력	**[담당업무]** · 품질/제조 관리약사 - 변경관리 및 제조기록서 작성 및 검토 - 출하 문서/GMP 문서 작성, 검토 및 승인 허가관리 - 일탈, OOS, 소비자 불만 관리 **[자격요건]** · 학사 이상 · 약사 면허 보유자(취득 예정 포함)	서울 (용인)
제제보증	신입/경력	**[담당업무]** · 신규 소재 탐색 : 천연물의약품, 건강기능식품의 개발을 위한 소재 탐색 - 유효성 평가/후보 도출 : 타겟 질환의 평가 시스템을 이용한 후보 도출 - 유효성분 발굴, 약물 기전 연구, 특허 출원 허가자료 작성 **[자격요건]** · 석사 이상 · 유관경력 3년 이상 **[우대사항]** · 생명공학, 화학, 약학 및 유관계열 Biologic 기반으로 약물기전연구 가능자 · In-vivo, in-vitro 효력시험 설계능력 보유자 · 의약품, 건강기능식품의 허가 경험 및 관련규정 지식 보유자	서울 (용인)
제제연구	신입/경력	**[담당업무]** · 신제품(제네릭, 개량신약, 신약) 제제연구 · 전체 제형의 처방설계 및 제조공정 확립연구 (QbD 기반) · Chemical 약물에 대한 preformulation 및 formulation 연구 · 신규제형 기술의 적용을 통한 차별화 제품의 연구 · Scale-up, 공정 밸리데이션을 포함한 현장화 연구 및 신제품 발매 **[자격요건]** · 석사 이상 · 유관경력 3년 이상 **[우대사항]** · 화학, 약학 전공자	

3) 전형절차

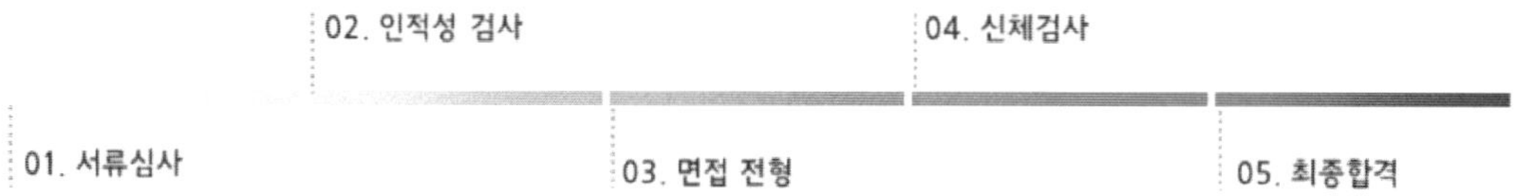

4) 취업 TIP[11)]

가) 채용 현황

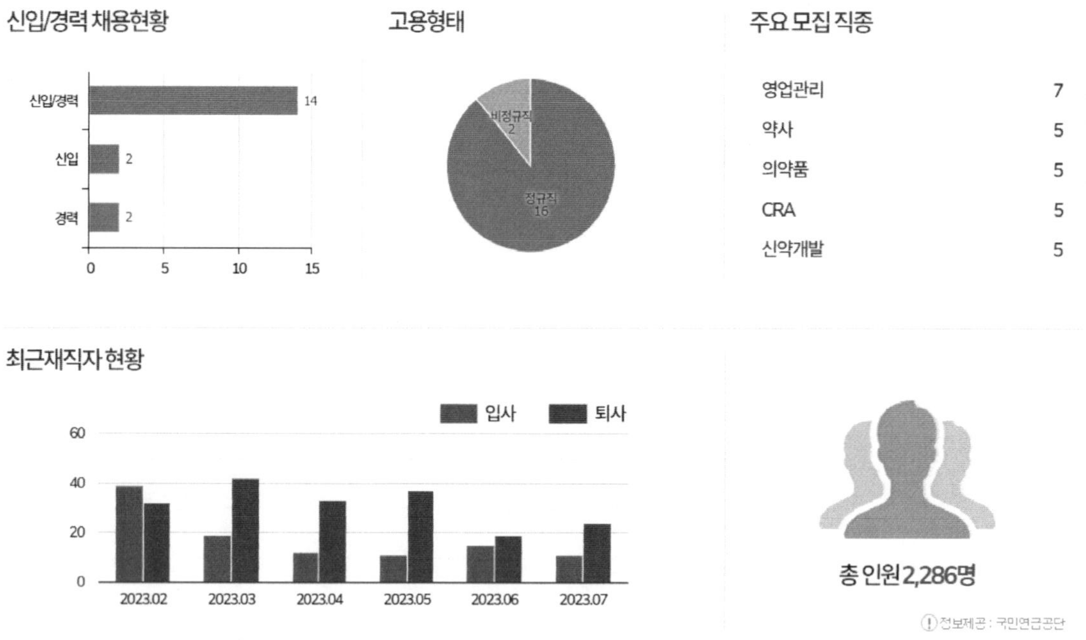

나) 참고 내용

주요 서비스	의약품 제조 / 의약품 판매 / 의약품 개발
인재상	도전성 / 전문성 / 역동성
비전	아름다운 기업, 가치있는 기업, 창조하는 기업
미션	우수 의약품을 개발하여 인류건강을 지키며 복지사회 구현에 이바지하다.

11) 인크루트

다) 직무 소개

관리

- 경영기획
- 재경
- 인사
- 총무
- 구매
- 교육
- 홍보

개발

- 제품기획/허가특허
- 제휴/라이센싱
- 임상
- 학술
- 글로벌사업

연구

- 신약연구
- 기술연구
- 바이오연구

생산

- 품질경영
- 생산공정 관리

영업/마케팅

- 영업
- 마케팅

마. 한미약품

[그림 30] 한미약품 로고

1) 기업 소개

한미약품은 의약품 제조 및 판매를 주 목적사업으로 하고 있으며, 주요 제품으로는 복합고혈압치료제 '아모잘탄', 복합고지혈증치료제 '로수젯', 고혈압치료제 '아모디핀', 역류성식도염치료제 '에소메졸' 등이 있다.

사업부문은 의약품, 원료의약품, 해외의약품 부문으로 한미약품(주), 한미정밀화학(주), 북경한미약품유한공사 각 기업을 하나의 영업부문으로 구분한다. 주요 종속회사인 한미정밀화학은 원료의약품 전문 회사로, 국내는 물론 미국, 영국, 독일 등 선진국 시장에서도 세팔로스포린계 항생제 분야의 품질력을 인정받고 있다. 현재 40여개국에 원료의약품을 수출한다.

북경한미약품유한공사는 의약품 연구개발에서부터 생산, 영업 등 전 분야를 수행할 수 있는 독자적인 제약회사로, 어린이용 제품인 정장제 마미아이와 감기약 이탄징이며, 성인용정장제 매창안 등 총 20여 품목을 현지 시판하고 있다.

아모잘탄정	로수젯정
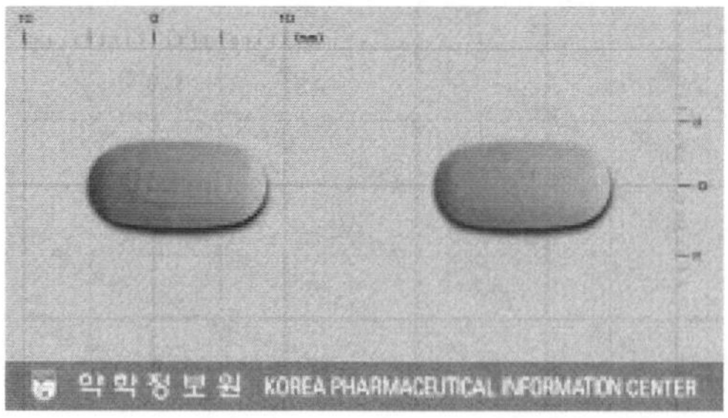	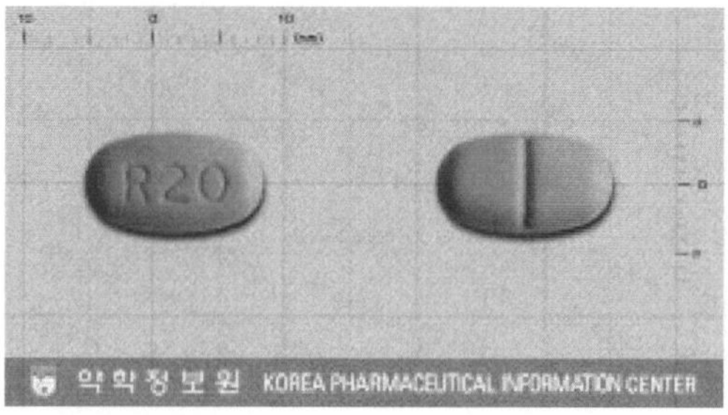

[표 18] 한미약품 주요 제품

한미약품은 아모잘탄과 함께 아모잘탄플러스, 아모잘탄큐, 아모잘탄엑스큐를 판매 중이다. 아모잘탄플러스는 고혈압 치료제로 사용되는 암로디핀, 로사르탄, 클로르탈리돈 등 3개의 약물이 결합된 복합제다. 아모잘탄큐는 아모잘탄에 고지혈증치료제 로수바

스타틴을 추가한 복합제다. 2021년 발매된 아모잘탄엑스큐는 아모잘탄에 로수바스타틴, 에제티미브를 결합한 제품이다. 한미약품 항궤양제 에소메, 전립선비대증치료제 한미탐스, 고혈압치료제 아모디핀, 진통소염 복합제 낙소졸 등 자체 개발 제품이 시장에서 견고한 입지를 구축한 상태다.[12)13)]

12) 한미약품, 美FDA서 간 담관염 치료 '희귀의약품 지정', 이주연, 헬스조선, 2020.03.05
13) 데일리팜 '한미약품, 작년 제품매출 1.2조 최다...대웅·보령 껑충'

2) 채용공고 소개[14)]

가) 2023년 하반기 한미약품그룹 인재모집[정기공채]

모집부문	신입/경력	자격요건	근무지
신제품 임상	신입/경력	**[담당업무]** · 임상시험개발 전략수립 · 임상시험계획서 개발, 결과 보고서 등 문서작성 · 임상 데이터 및 결과 검토 및 해석 · 임상시험 진행 및 운영 관리 · 임상시험기관, Vendor 관리 및 모니터링 **[자격요건]** · 학사 이상 학력소지자 · 약학, 화학, 생물학, 생명공학, 간호학, 수의학, 바이오 등 관련 전공자 · 경력사원의 경우 관련 경력 3년 이상인 자[제약사, CRO등] **[우대사항]** · 관련 전공 석사 이상 및 약사 면허 소지자 · 임상시험 종사자 교육 이수자	서울 (송파)
임상 전략 개발	신입/경력	**[담당업무]** · 항암 신약개발 후보 물질의 임상 도입 가능상 통합 평가 · TPP, CDP 개발 및 경쟁 약물 개발 현황 분석 · 임상시험계획서 개발 및 결과 보고서, 규제기관 제출 임상 문서 등 작성/검토 · 임상 데이터 검토 및 해석, 결과발표 **[자격요건]** · 석사 이상 학력소지자 · 약학, 화학, 생물학, 생명공학, 간호학, 수의학, 바이오 등 관련 전공자 · 경력사원의 경우 관련 경력 3년 이상인 자 **[우대사항]** · 항암 신약개발 관련 업무/임상연구 경험자 · 영어 능통자 및 커뮤니케이션 능력 우수자	서울 (송파)

14) 사람인 채용공고

나) 2023년 하반기 한미약품그룹 인재모집[정기공채]-R&D센터

모집부문	신입/경력	자격요건	근무지
바이오신약	신입/경력	**[담당업무]** · CGT(Cell & Gene Therapy) 개발 연구 · 신규 target 발굴 및 바이오의약품 연구 · 바이오의약품 제조공정 개발, 생산 및 분석 연구 **[자격요건]** · 석사 이상 학력소지자(박사학위 우대) · 생명공학, 세포생물학, 생화학, 분자생물학, 면역학, 약학 등 관련 전공자 · 경력사원의 경우 관련 경력 3년 이상인 자 **[우대사항]** · CGT(Cell & Gene Therapy) 연구 경험자 · 대장균/동물 유래 단백질, 펩타이드 및 핵산 정체 공정 / 결합체 제조 연구 경험자 · 단백질, 펩타이드 구조 모델링 연구 경험자	경기 (동탄)
합성신약	신입/경력	**[담당업무]** · 저분자 기반 TPD(Targeted Protein Degraders) 연구 · 약물설계, 유기화합물 합성 및 후보물질 탐색 **[자격요건]** · 석사 이상 학력소지자 · 화학, 약학 등 관련 전공자 · 경력사원의 경우 관련 경력 3년 이상인 자 **[우대사항]** · TPD(Targeted Protein Degraders) 연구 경험자 · 약리학, 면역학 등 신약개발 연관분야 지식보유 및 경험자 · 해외 연구기관 및 제약사에서 신약 개발 경험자	경기 (동탄)

3) 전형절차

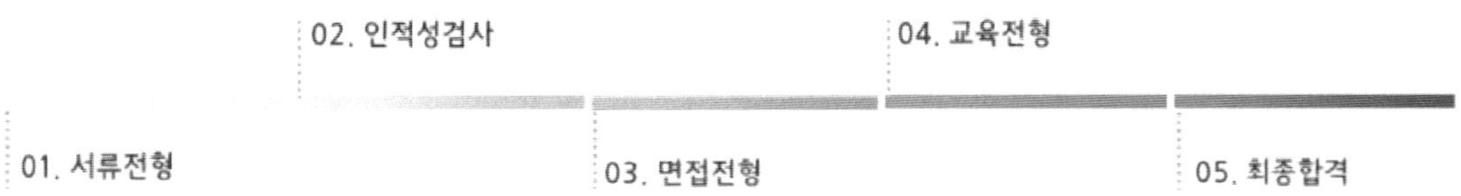

4) 취업 TIP[15)]

가) 채용 현황

신입/경력 채용현황

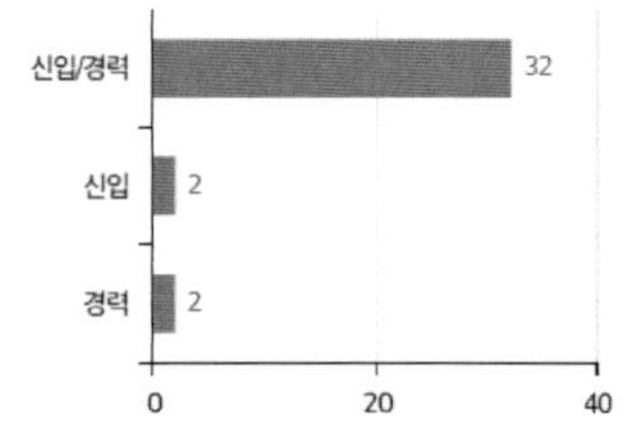

고용형태

주요 모집 직종

생산관리	15
의약품	15
의약품비임상시험	14
제약연구개발	13
의료기·의약품인허가	12

최근재직자 현황

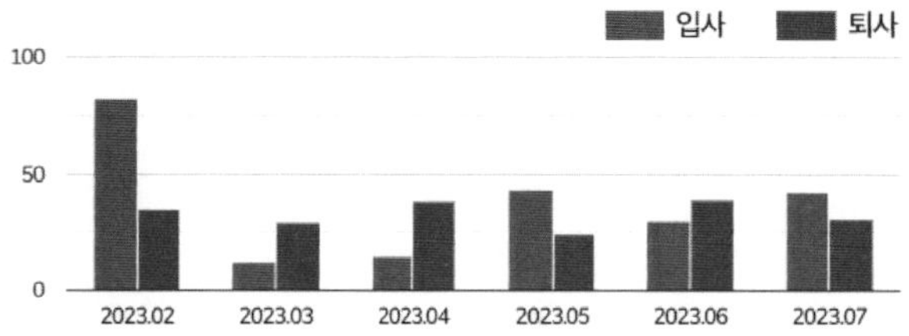

총 인원2,265명

정보제공 : 국민연금공단

나) 참고 내용

주요서비스	의료 / 제약 / 복지
인재상	· 기본을 지키고 원칙을 중요시 하는 사람 · 적극적이고 창의적인 사람 · 과거 틀에서 고정관념을 깨는 사람 · 인내심과 집념, 성취욕이 강한 사람 · 성실과 책임감으로 신뢰 받는 사람 · 이기적인 자기중심보다 조직을 중요시 하는 사람 · 메사에 용의주도하고 면밀한 사람 · 모든 일을 깊이깊이 생각하면서 일하는 사람 · 일에 열정을 가지고 몰두하는 사람 · 최선을 다해 땀 흘리는 사람
비전	세계 무대에서 통하는 글로벌 신약의 탄생
핵심가치	인간 존중 / 가치 창조

15) 인크루트

다) 직무 소개

국내사업

- 제약영업

본사

- 임상
- 글로벌
- 개발

연구센터

- 바이오신약
- 합성신약
- 약리연구
- 독성평가
- 분석연구
- 연구지원
- R&D QA

팔탄스마트플랜트

- 연구
- 품질
- 생산
- 관리

평택바이오플랜트

- 연구
- 품질
- 생산
- 관리

평택세파플랜트

- 세파주사제

바. 한독

[그림 37] 한독 로고

1) 기업 소개

한독은 의약품, 제약원료 및 공업용약품의 소분업과 제조판매업 등을 영위할 목적으로 1954년 04월 27일에 설립되었다. 주요제품으로 아마릴(인슐린 비 의존형 당뇨병치료제), 케토톱(진통소염제), 솔리리스(혈색소뇨증 치료제) 및 네이쳐셋레디큐(질병예방 및 건강증진)등이 있다.

한독은 재즈 파마슈티컬의 중증 간정맥폐쇄증 치료제 `데피텔리오`의 보험급여를 획득했고, 폐동맥 고혈압 신약 `업트라비`의 국내 판매 계약을 체결하는 등 희귀질환 치료제 시장에서 강자로 부상하고 있으며 합작회사인 `한독테바`와 천식 및 호흡기 치료제 `듀오레스피 스피로맥스`, `에어듀오 스피로맥스`, `싱케어`에 대한 국내 공동 판매 계약을 체결했다.

아마릴정	케토톱
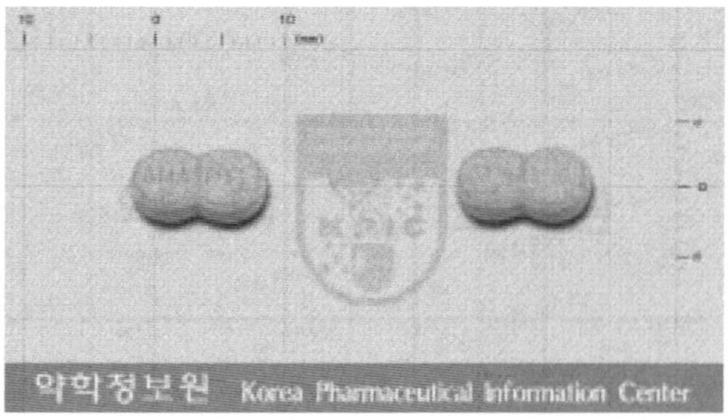	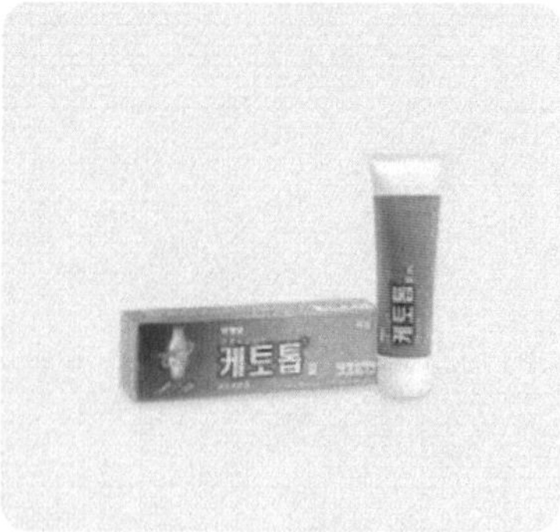

[표 22] 한독 주요제품

한독이 싱가포르 바이오 의약품 개발회사인 에이유엠(AUM) 바이오사이언스(AUM Biosciences)에 표적항암신약 기술을 이전하게 됐다. 한독은 차바이오그룹 계열사이자 의약품 개발회사인 CMG제약과 공동 개발해온 Pan-TRK 저해 표적항암신약 'CHC2014'를 AUM 바이오사이언스에 기술 이전하는 계약을 체결했으며 이번 계약에 따라 한독과 CMG제약은 AUM 바이오사이언스에 CHC2014의 대한한국을 제외한 전 세계 개발·제조·상업화 권리를 이전한다.

한독과 CMG제약은 2015년부터 CHC2014 공동 연구해왔으며, 2017년부터 최근까지 항암신약개발사업단(복지부 지원, 국립암센터 주관)과 협약을 맺고 개발을 가속화했다.

2) 채용공고 소개[16)]

가) 제품개발연구실 선임연구원 모집 (제제연구원)

모집부문	신입/경력	자격요건	근무지
전문의약품 영업 공채	신입/경력	**[담당업무]** · 제형개발 및 제제연구(경구제, 패치제, 점안제, 주사제 등) · 분석업무(용출, HPLC 등) · 공정연구(Scale up Study) · 생산성 개선(trouble shooting 등) 업무 **[자격요건]** · 관련분야 석사 이상 (신입 가능) · 약학, 제약학, 제약공학, 화학공학, 고분자 공학, 생물공학 등 관련 전공 · 경력의 경우, 제형개발 및 제제연구(경구제, 패치제, 점안제, 주사제 등) 3~5년 경력 · 공정연구(Scale up Stduy) 경험 다수 · 제제연구 및 제형연구 · 공정연구(Scale up Study) · 실험계획 및 결과 해석 **[우대사항]** · 통계, 실험계획법 및 CTD 작성 경험(우대) · 특허 명세서 작성에 대한 경험(우대)	서울 강서구

16) 사람인 채용공고

나) 임상시험 CRA (Clinical Research Assistant) 모집 (경력)

모집부문	신입/경력	자격요건	근무지
연구개발	신입/경력	**[담당업무]** · 임상시험 준비 - 프로젝트 계획 수립, 절차에 따라 Site start up 수행 및 관리 - 임상시험 진행 시 위험 및 문제를 논의 · 임상시험 수행 - 담당 Site의 임상시험 대상자 등록을 계획된 기한 내 완료되도록 관리 - site 모니터링 및 ICH-GCP, KGCP, SOP 및 관련 규정에 따라 실시되도록 site 관리 - 임상시험 중 발생하는 변경사항 등에 대해 해당하는 경우 HA/IRB의 규정에 따라 보고/승인 절차 시행 · 임상시험 종료 - Site close-out visit 실시, 시험약 회수, HA/IRB종료보고, 실사, HA/IRB 승인, 문서보관 등 - Site임상시험 종료 절차를 계획된 timeline 내 수행 및 관리 · Audit/Inspection 준비 및 결과에 대한 적절한 후속 조치 (CAPA process 등) · 관련 Vendor, 파트너사, 유관 부서와 관련 정보 교환 및 긴밀한 협력관계 유지 · 임상시험 프로젝트 예산 수립 및/또는 관리 · 임상시험에서 필요한 외부 위탁은 절차에 따라 vendor 선정 및 관리 **[자격요건]** · 4년제 대학 졸업 (의학, 간호학, 약학, 생명과학 등) · 임상 및 관련 업계 경험 (임상시험 모니터링 경력 최소 2년 이상) · 전문 지식 (ICH-GCP, KGCP, MFDS 지침, 약사법, 임상시험 관련 규정, 의학용어, 의약학 등) · 대인관계역량 및 Time management를 잘하는 자, English/컴퓨터 능력 · 능동적, 인내심, 세밀함, 적극적인 리더십 개발과 자기개발	서울 강남구

다) MSL(Medical Science Liaison) 모집 (신입/경력)

모집부문	신입/경력	자격요건	근무지
생산,품질	신입	**[담당업무]** · Medical Thought Leader에게 제품의 올바른 의학적 가치(value)를 과학적 근거를 바탕으로 객관/균형있게 전달, medical insight의 수집/공유, 의학적 전략 수립/실행 · 제품의 Life cycle에 걸쳐 Scientific program(심포지엄, 자문회의)의 기획 및 실행 · 제품 또는 질환과 관련된 임상 연구를 관련 규정에 따라 효율적으로 관리하고 지원 · 관련 제품 및 질환에 대한 의학 교육을 계획하고 시행 **[자격요건]** · 약사 혹은 유관학과 (생물학, 생명과학 등 자연과학 학위) 졸업자 · 임상시험 결과 및 연구 논문에 대한 이해도 · Learning agility (새로운 질환 및 제품에 대한 학습 순발력) · Communication skill; 고객과의 의사소통 능력 및 고객지향적인 성향 **[우대사항]** · 제약회사 또는 관련 회사에서 MSL 경력 우대	경기 (수원)

3) 전형절차

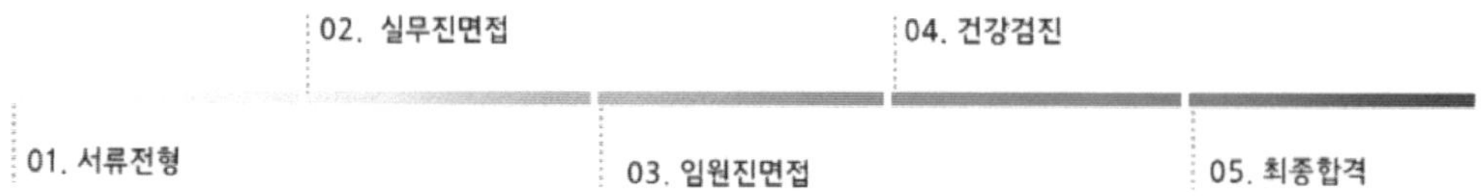

4) 취업 TIP[17)]

가) 채용 현황

신입/경력 채용현황

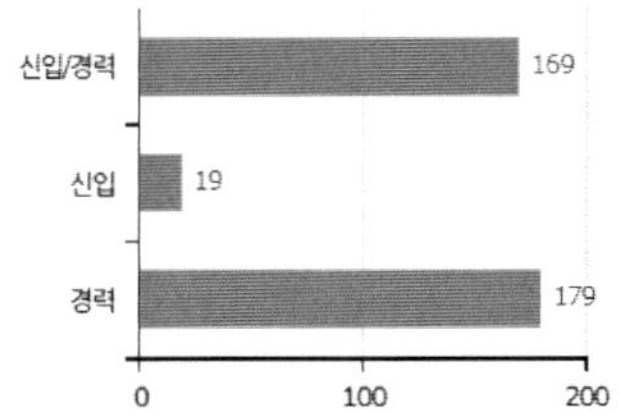

고용형태

주요 모집 직종

의약품	82
임상개발	49
마케팅기획	47
의약품비임상시험	44
영업관리	37

최근재직자 현황

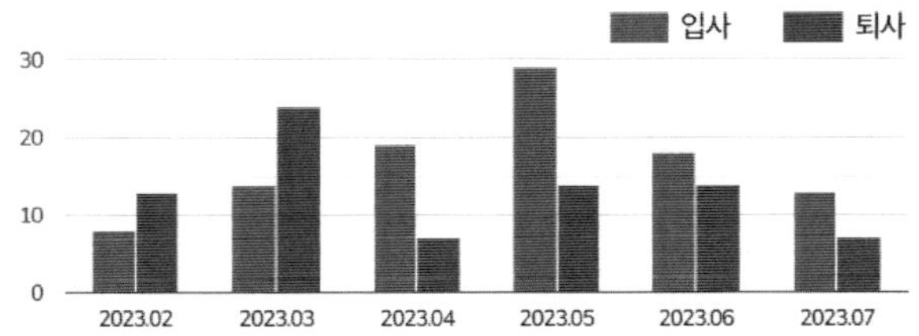

총 인원942명

정보제공 : 국민연금공단

나) 참고 내용

주요서비스	연구개발 / 생산 / 영업마케팅
인재상	· 투명성과 일관성으로 상호 신뢰를 구축하는 인재 · 높은 윤리적 기준으로 성실한 생활을 실천하는 인재 · 모든 분야에서 지속적으로 변화와 혁신을 주도하는 인재 · 내부 및 외부 파트너들과 굳건한 협력관계 구축을 통해 시너지를 창출하는 인재 · 양질의 결과를 달성하고 승리를 성취하는 인재
비전	대한민국을 대표하는 토탈헬스케어 기업으로서 The Health Innovator
미션	우수한 제품과 서비스로 인류의 건강과 삶의 질을 향상시킨다

17) 인크루트

다) 직무 소개

한독칼로스메디칼
· 의료기기

테라밸류즈
· 일본 / 건강기능식품

앤비포스텍
· 의료기기

제네신
· 바이오의약품

한독테바
· Specialty 제네릭

Just-C
· 미국 / 건강기능음료

3. 기업 취업을 위해
꼭 알아야 할 기본 개념들

3. 기업 취업을 위해 꼭 알아야 할 기본 개념들

가. 바이오의약품 정의[18]

바이오의약품(biomedicine)은 국가별로 그 정의가 다른 측면이 있지만, 한국의 경우 약사법령 중 「식품의약품안전고시 생물학적 제제 등의 품목허가·심사 규정」 제2조에 따라 '생물의약품'으로 정의하고 있다.

국가 (규제기관)	바이오의약품 용어 및 정의
미국 (FDA)	• [Biological products] 사람의 질환 또는 건강상태(disease or condition)를 예방, 치료(treatment), 완치(cure) 하기 위해 사용할 수 있는 제품 • [HCT/P] 인체 세포, 조직 또는 세포유래, 조직유래 제품이란 수령자에게 implantation, transplantation, infusion or transfer 하기 위한 인체 세포나 조직으로 구성되거나 포함하는 제품
유럽 (EMA)	• [Biological medicinal products] 활성 성분이 생물학적인 물질을 포함하는 제품으로 생물학적인 물질은 생물학적 원료로부터 추출되거나 생물학적인 원료에 의해 생산된 것을 말하며, 그것의 품질을 결정하거나 특성을 부여하고 또한 생산하고 관리하는 과정에서 생리 화학적 시험과 생물학적 시험을 필요로 하는 물질로 정의 • [ATMPs, Advanced Therapy Medicinal Product] 유전자 치료 의약품, 체세포 치료 의약품, 조직 공학 제제
일본 (PMDA)	• [생물유래제품 (生物由来製品, Biological products)] 사람 그 외의 생물(식물 제외)에 유래하는 것을 원료 또는 재료로서 제조하는 의약품, 의약부외품, 화장품 또는 의료기기 중 보건 위생상 특별한 주의를 필요로 하는 것으로서 후생노동 대신이 약사·식품위생 심의회의 의견을 들어 지정하는 것 • [특정생물유래제품(特定生物由来製品, Specified biological products)] 생물유래제품 중 판매, 대여, 수여 후 해당 생물 유래 제품에 의한 보건위생상의 위해 발생 또는 확대를 방지하기 위한 조치를 강구할 필요가 있는 것으로, 후생노동대신이 약사·식품위생 심의회의 의견을 들어 지정하는 것을 말함 • [재생의료 등 제품(再生医療等製品)] 다음의 의료 또는 수의료에 사용되는 것이 목적인 물품 중 인간 또는 동물의 세포를 배양하거나 가공한 것 가) 인간 또는 동물의 신체 구조 또는 기능의 재건, 복원 또는 형성 나) 인간 또는 동물의 질병 치료 또는 예방

[표 27] 주요 국가별 바이오의약품 정의

18) 바이오의약품 산업동향 보고서, KoBIA, 2018.12

‘바이오의약품(생물의약품)’ 이란 사람이나 다른 생물체에서 유래된 것을 원료 또는 재료로 하여 제조한 의약품으로서 보건위생상 특별한 주의가 필요한 의약품을 말한다. 또한, 생물학적제제, 유전자재조합의약품, 세포배양의약품, 세포치료제, 유전자치료제, 기타 식품의약품안전처장이 인정하는 제제를 포함한다.

구분	정의	관계 법률 및 규정
의약품	• 대한민국 약전에 실린 물품 중 의약외품이 아닌 것 • 사람이나 동물의 질병을 진단·치료·경감·처치 또는 예방할 목적으로 사용하는 물품 중 기구·기계 또는 장치가 아닌 것 • 사람이나 동물의 구조와 기능에 약리학적 영향을 줄 목적으로 사용하는 물품 중 기구·기계 또는 장치가 아닌 것	「약사법」 제2조4호
바이오 의약품	• 사람이나 다른 생물체에서 유래된 것을 원료 또는 재료로 하여 제조한 의약품으로서 보건위생상 특별한 주의가 필요한 의약품을 말하며, 생물학적제제, 유전자재조합의약품, 세포배양의약품, 세포치료제, 유전자치료제, 기타 식품의약품안전처장이 인정하는 제제를 포함함	「생물학적제제 등의 품목허가·심사 규정」제2조

[표 28] 의약품 및 바이오의약품 정의

나. 바이오의약품 특징 및 범위[19)]

바이오의약품은 일반적으로 합성의약품에 비해 크기가 크고, 복잡한 고분자 구조를 가지고 있으며, 생물체를 이용하여 복잡한 제조공정을 거쳐야 되므로 변화에 민감하다. 대부분의 합성의약품은 경구 투여 방식이지만 바이오의약품은 단백질을 이용해 제조된 의약품으로 경구 투여 방식을 취하면 소화가 되어 약효를 발휘하기 어려워 정맥이나 근육에 주사하는 방식으로 투여된다.

바이오의약품은 경구 투여하는 합성의약품 보다 부작용이 적다는 장점을 갖고 있으며, 임상 성공률이 높고, 희귀성 난치성 만성 질환의 치료가 가능하다. 복제약의 경우, 합성의약품은 화학물질의 합성 비율을 알면 쉽게 제조가 가능한 반면 바이오의약품은 배양기술과 환경, 방법에 따라 전혀 다른 물질이 나올 수 있는 가능성이 있어 복제가 쉽지 않다. 바이오의약품의 복제(바이오시밀러)는 합성의약품의 복제보다 고도의 기술력이 요구되기 때문에 오리지널의약품 대비 가격이 합성의약품의 복제약(제네릭) 보다 더 높은 시장 가격이 인정되고 있다.

	합성의약품	(첨단)바이오의약품
원료	합성화학물질	생물체 유래물질 (세포, 조직, 유전물질 등)
원료의 고려사항	품질(시험분석으로 확인 가능)	시험분석으로 확인 가능한 품질 외에 공여(기증)자의 동의 등 윤리성, 감염질환 확인 등 안전성 확보 필요
구조	물리화학적 특성이 명확한 저분자 구조	정확한 특성 분석이 불가능하고, 활성과 구조가 일정하지 않음
제품의 안전성	대부분 온도・빛 등 환경에 안정적	온도・빛・pH 등 외부 환경에 민감, 미생물 오염에 취약
	대부분 36개월	(세포치료제 사례) 대부분 3일 이내 (유전자치료제 사례) 영하 135℃에서 24개월
제조	간단한 화학적 합성으로 대량생산	복잡한 제조과정의 맞춤형 소량 생산
	원료, 공정, 설비변화가 품질에 영향이 비교적 적음 (제조공정의 변이성이 매우 낮음)	원료, 공정, 설비의 변화가 의약품 자체를 변화 (제조공정의 변이성이 매우 높음)
	상대적으로 복제가 쉽고 낮은 제조비용	복제가 불가능하고 높은 제조비용

[표 29] 합성의약품과 바이오의약품 차이점

19) 바이오의약품 산업동향 보고서, KoBIA, 2018.12

	합성의약품	(첨단)바이오의약품
치료효과	비교적 명확한 약리기전, 대다수 사람에게 일관적 효과 기대	(세포치료제)약리기전이 불확실 (유전자치료제)복합적인 기전 환자에 따른 맞춤형 치료 가능
	대부분 질병의 증상개선에 그침	질병의 근본적인 원인치료 가능
안전성	약물 특이적이거나 약물 대사와 관련된 이상 반응	생물체 유래물로 고유독성은 낮으나 면역거부 반응, 종양발생 등의 이상반응이 있음. 특히 장기 안전성 결과는 매우 부족
비임상 시험	동물 시험을 통하여 약물의 독성 및 효과를 예측 가능	동물 시험으로 인체결과를 예측하는데 한계
투약방법	대부분 경구·주사 등 일반적 투여경로	대부분 주사 또는 주입, 이식 등 시술을 동반한 투여

[표 30] 합성의약품과 바이오의약품 차이점

다. 바이오의약품 종류

1) 생물학적제제

생물학적제제란, 생물체에서 유래된 물질이나 생물체를 이용하여 생성시킨 물질을 함유한 의약품으로서 물리적·화학적 시험만으로는 그 역가와 안전성을 평가할 수 없는 백신·혈장분획제제 및 항독소 등을 말한다.[20)]

가) 백신

백신은 특정 질병에 대한 면역력을 강화시킬 목적으로 투여하는 항원 단백질 또는 미생물체이다. 병을 일으킬 만큼 독성이 강하지는 않지만, 면역반응을 일으키기에는 충분한 병원체를 투여하여 차후에 이 병원체가 실제로 감염되었을 때 더 쉽게 이겨낼 수 있게 한다.

백신은 크게 병원균의 배양 조건이나 유전공학적 변이를 통해 병원체의 독성을 줄인 약독화 백신과 화학적 처리나 열을 가해 독성을 없앤 불활성화 백신, 병원균의 일부 단백질이나 다당체 또는 핵산을 이용한 서브유닛백신, 박테리아에서 만들어내는 독소를 불활성 시킨 변성독소 백신 그리고 다당체와 단백질을 화학적으로 결합시킨 접합 백신으로 나눌 수 있다. 현재 세계보건기구(WHO)의 가용 백신 목록에는 디프테리아, 파상풍, 백일해, B형 간염 등 26종이 포함되어 있다.

전통적인 백신 기술이외에도 병원균이나 바이러스의 DNA를 포함한 플라스미드를 몸 안에서 항원으로 발현하게 디자인한 DNA 백신과 예방목적의 백신 개념을 넘어 질병 치료를 목적으로 한 다수의 암이나 에이즈의 치료백신 후보들도 개발과 임상시험 단계에 있다.

---

20) 생물학적제제등 제조 및 품질관리기준 (의약품 등의 안전에 관한 규칙 별표3)

종류	제품명
인플루엔자백신	박시그라프주, 인플로코박스주, 지씨플루주
대상포진생바이러스백신	조스타박스주
A형간염백신	아박심주, 하브릭스주
B형간염백신	유박스비주, 헤파뮨프리필드시린지, 헤파박스진주
인유두종바이러스백신	가다실프리필드시린지, 서바릭스프리필드시린지
로타바이러스백신	로타릭스프리필드, 로타텍액
폐렴구균백신	프리베나13주, 프로디악스-23

[표 31] 백신의 종류

21)

나) 혈장분획제제

혈장분획제제는 혈장에 함유되는 알부민, 면역 글로불린, 혈액응고인자 등을 분리 정제한 주사제를 말하며 알부민제제, 면역글로불린제제, 혈액응고인자제제 등이 이에 속한다.

알부민제제는 삼투압을 유지하기 위해 사용하는 제제로, 원료의 유한성 및 특성을 감안해야 하고, 자국의 혈액을 우선 이용해야 하기 때문에 국내에서는 대한적십자사가 공공성을 가지고 관리하고 있다.

면역글로불린제제는 항혈청에서 다중클론성인 면역글로불린을 정제하여 제제한 것을 말한다. 면역글로불린제제에는 면역글로불린 대량요법에서 사용하는 보통 면역글로불린부터 특정 항원에 대한 항체가가 높은 것까지 여러 종류가 있다. 저감마글로불린혈증, 특발성혈소판감소성자색반병, 가와사키병 치료시 면역글로불린을 사용한다.

혈액응고인자제제는 지혈제에 포함되는 것으로 피브리노겐 제Ⅷ인자(항 혈우병 A), 제Ⅸ인자(항 혈우병 B) 및 혈전증 예방에 필요한 안티트롬빈 Ⅲ 등이 있다.

21) http://blog.naver.com/h2hiro28/220143843595

성분	제품명
사람 혈장유래성분 함유 복합제제	티씰
건조농축 사람항트롬빈 III	안티트롬빈 III주
사람혈청알부민	녹십자알부민주 20%
항파상풍 사람면역글로불린	테타불린에스엔주
클로스트리디움 보툴리눔 독소A형	메디톡신주
디프테리아 및 파상풍 혼합 독소	티디퓨어주

[22]

[표 32] 혈장분획제제 및 항독소의 종류

22) http://blog.naver.com/h2hiro28/220143843595

2) 재조합단백질 의약품

재조합 단백질 의약품은 유전자조작기술을 이용하여 제조되는 펩타이드 또는 단백질을 성분으로 하는 의약품이다. 제조기술에 따라 유전자재조합의약품과 세포배양의약품으로 구분된다.

재조합 단백질 의약품은 유전자조작 기술을 이용하여 치료용 펩타이드나 단백질을 합성하는 유전자를 만들고 이를 대장균, 효모, CHO 세포 등에 삽입시킨 후 배양하여 원하는 성분을 대량생산한 후, 정제과정을 거쳐 순수한 단백질만을 분리해낸 의약품이다. 1982년에 최초의 재조합 인슐린이 출시된 이후성장호르몬, EPO(에리스로포이에틴) 등 다수의 재조합 단백질 의약품이 출시되었다.

가) 성장인자

성장인자 관련 제품으로는 암젠사에 의해 빈혈치료제로 개발된 EPO(erithropoietin, 상품명 에포젠)를 비롯하여 여러 제약회사에 의해 개발되어 승인된 다수의 재조합 단백질 제품이 있다. EPO 관련 제품이 주를 이루고 있으나 GMCSF와 G-CSF도 미국에서 판매가 승인되었다.

나) 호르몬

재조합 호르몬 단백질 의약품에는 크게 인슐린과 성장 호르몬 관련 제품이 있다. 인슐린은 재조합 DNA 기술을 이용해서 만들어진 최초의 단백질 의약품이며, 성장호르몬은 제넨텍사에 의해 프로트로핀이라는 이름으로 상품화가 이루어진 후 여러 제약회사에 의해 개발, 판매되고 있다. 이 밖에도 여포자극호르몬, 글루카곤 등 다양한 호르몬 관련제품이 출시되었다.

다) 효소

다양한 종류의 효소가 혈전용해제, 항응고제, 항암제 등 여러 가지 용도로 개발되어 사용되고 있다. 혈전용해제로 광범위하게 사용되고 있는 스트렙토키나제는 플라스미노겐과 특이적으로 결합함으로서 혈전 용해작용을 하는 것으로 알려져 있다.

풀모자임은 재조합 디엔에이즈로서 낭포성 섬유증 환자의 폐에 침투한 미생물의 작용에 의해 분비된 다량의 DNA를 분해시킴으로써 호흡기 장애를 감소시킨다.

세레데이즈는 천연 글루코세레브로시데이즈로서 가우셔 질환에 걸린 환자의 여러 증상을 완화시킨다. 개발 초기에는 태반으로부터 효소를 직접 추출하여 생산되었으나, 이후 CHO 세포주를 이용하여 생산된 재조합 글루코세레스로시데이즈가 개발되어 세레자임이라는 상품명으로 판매되기 시작하면서 보다 많은 환자들이 이용할 수 있게 되었다.

분류	성분	제품명
싸이토카인	재조합 에리스로포이에틴	에포카인프리필드주
	재조합 인간인터페론베타-1a	레비프프리필드주사
	페그인터페론알파-2a	페가시스주
	필그라스팀	그라신프리필드시린지주
호르몬	소마토트로핀	그로트로핀투주, 유트로핀주
	인슐린 글라진	란투스주솔로스타, 란투스주바이알
	인슐린 리스프로	휴마로그주
	태반성성선자극호르몬(hCG)	프레그닐주
	폴리트로핀알파	고날에프주, 고날에프펜주
생체내인자 및 효소	재조합 혈액응고인자 VIIa	노보세븐알티주
	재조합 혈액응고인자 IX	베네픽스주
	이미글루세라제	세레자임주

[표 33] 재조합 단백질 의약품의 종류와 상품

23)

23) http://blog.naver.com/h2hiro28/220143843595

3) 항체 의약품[24)25)]

항체 의약품은 항원-항체 반응을 이용하여 특정질병과 관련된 하나의 항원 단백질에 특이적으로 결합하는 단일클론항체(monoclonal antibody)를 유효성분으로 하는 의약품을 의미한다.

단일클론항체는 세포 표면의 항원과 결합하여 세포 독성을 통해 효과를 나타내기도 하고, 싸이토카인이나 케모카인과 결합함으로써 체내 신호 전달을 차단하여 작용하기도 한다.

항체 의약품은 적응증의 범위가 넓어 종양, 자가면역질환, 감염질환, 전염성 질환, 순환계 질환, 신경계 질환 등 다양한 종류의 질환에 적용될 수 있다. 2021년 기준 전 세계 판매 Top 10 의약품 중 항체 의약품이 거의 대다수일 정도로 항체 의약품에 대한 기대는 크다.

순위	제품명	개발사	2021년도 매출	분류
1	코미나티	화이자,바이오엔테크	368억	코로나19백신
2	휴미라	애브비	207억	자가면역질환 치료제
3	스파이크백스	모더나	177억	코로나19백신
4	키트루다	MSD	172억	면역항암제
5	엘리퀴스	BMS	167억	항응고제
6	레블리미드	BMS	128억	혈액암 치료제
7	임브루비카	애브비,J&J	98억	혈액암 치료제
8	스텔라라	j&J	91억	자가면역질환 치료제
9	아일리아	바이엘,레제네론	89억	황반변성 치료제
10	빅타비	길리어드	86억	HIV 치료제
Total			1,583억	

[표 34] 전 세계 매출 10위 의약품

26)

24) 다양한 종류의 바이오 의약품으로 알아보는 바이오산업 현황, LG 케미토피아, 윤수영, 2016. 11.
25) http://blog.naver.com/h2hiro28/220143843595
26) 데일리팜 '코로나 백신-치료제 약진…세계 의약품시장 지각변동'

4) 세포 치료제[27)28)]

세포 치료제란 살아있는 자가, 동종, 이종 세포를 체외에서 배양·증식하거나 선별하는 등 물리적, 화학적, 생물학적 방법으로 조작하여 제조하는 의약품을 말한다. 다만, 의료기관 내에서 의사가 자가 또는 동종세포를 당해 수술이나 처치 과정에서 안전성에 문제가 없는 최소한의 조작(생물학적 특성이 유지되는 범위 내에서의 단순분리, 세척, 냉동, 해동 등)만을 하는 경우는 제외한다.

세포치료제는 사용되는 세포의 기원에 따라 다음과 같이 구분된다.

① 자가유래 세포치료제 (Autologous cell therapy products)
자가유래 세포치료제는 본인으로부터 적출된 세포나 조직을 다시 본인이 이식받기 위해 공정처리되어 만들어진 세포치료제다.

② 동종동계유래 세포치료제 (Isogenic cell therapy products)
동종동계유래 세포치료제는 본인과 동일한 유전자를 지닌 타인(일란성쌍둥이 등)으로부터 적출된 세포나 조직을 다시 본인이 이식 받기 위해 공정 처리되어 만들어진 세포치료제다.

③ 동종유래 세포치료제 (Allogenic cell therapy products)
동종유래 세포치료제는 어떤 사람으로부터 적출된 세포나 조직을 다른 사람에게 제공하기 위해 공정처리되어 만들어진 세포치료제다.

④ 이종유래 세포치료제 (Xenogenic cell therapy products)
이종유래 세포치료제는 사람이외의 종으로부터 적출된 세포나 조직을 사람에게 제공하기 위해 공정처리되어 만들어진 세포치료제다.

27) 첨단바이오의약품 허가심사체계, 식품의약품안전처 세포유전자치료제과 최경숙, 2016
28) http://blog.naver.com/h2hiro28/220143843595

분류	성분	제품명
조직세포	자가유래 연골세포	콘드론
	자가유래 뼈세포	알엠에스오스론
	자가유래 피부각질세포	홀로덤
면역세포	자가유래 활성화림프구	엔케이엠주
	자가유래 활성화티림프구	이뮨셀엘씨주
성체줄기세포치료제	동종제대혈유래 중간엽줄기세포	카티스템
	자가골수유래 중간엽줄기세포	하티셀그램에이엠아이
	자가지방유래 중간엽줄기세포	큐피스템주

[29]

[표 35] 세포치료제 성분에 따른 상품의 예

29) http://blog.naver.com/h2hiro28/220143843595

5) 유전자치료제[30)]

유전자 치료제는 질병치료를 위해 인체에 투입하는 유전물질 또는 유전물질을 포함하고 있는 의약품을 말한다. 유전자치료제는 유전자 조작기술을 이용하여 치료유전자(gene)와 운반체(vector)를 결합시킨 것으로, 결핍 혹은 결함이 있는 유전자를 분자수준에서 교정할 수 있어 단일 유전자 질환 및 암 등의 치료와 예방에 활용 가능성이 높다.

최초의 유전자치료제는 2003년 중국에서 허가 받은 'Gendicine'이다. 유럽에서는 2012년 Glybera, 미국에서는 2015년 Imlygic이 최초로 허가를 받았다. 2000년 이후 국내 허가 세포치료제는 15건으로 모두 국내 제조 의약품이며, 허가 유전자 치료제 3건은 모두 수입 의약품으로 확인됐다. 2021년에는 한국노바티스의 킴리아, 졸겐스마, 럭스터나 등 3개 의약품이 허가됐다.[31)]

식품의약품안전처에서는 유전자치료제의 허가범위를 아래와 같이 한정하고 있으며, 허가범위에 해당되더라도 사람 생식세포의 유전적 변형을 통하여 치료하는 등 윤리적 문제가 우려되는 유전자치료제는 허가하지 않는다.

유전자치료제의 허가범위
1. 유전질환, 암, 후천성면역결핍증 및 기타 생명을 위협하거나 심각한 장애를 초래하는 질환의 치료제의 경우 2. 위 질환으로의 진행을 억제하는 치료제 등 기타 식품의약품안전처장이 질병예방이나 치료를 위하여 필요하다고 인정하는 경우 3. 현재 이용 가능한 치료법이 없거나, 유전자치료제가 현재 이용 가능한 다른 치료법과 비교하여 안전성・유효성이 명백하게 개선된 경우

[표 36] 유전자치료제의 허가범위

30) 첨단바이오의약품 허가심사체계, 식품의약품안전처 세포유전자치료제과 최경숙, 2016
31) MedicalTimes 'CAR-T가 주도하는 세포·유전자치료제…연 평균 49.5% 성장'

허가 년도	제품명	기업명	적응증
2003	Gendicine	Shenzen SiBiono GeneTech (중국)	두경부암
2004	RIGVIR	Aina Muceniece (라티비아)	흑생종
2005	Oncorine	Shanghai Sunway (중국)	두경부암
2007	Rexin-G	Epeius Biotechologies (필리핀)	전이성 악성 종양
2011	Neovasculgen	Human Stem Cell Institute (러시아)	중증 하지허혈증
2012	Glybera	UniQure (네덜란드)	지단백지질 분해효소 결핍증
2015	Imlygic	Amegen (미국)	악성흑색종
2017	KYMARIAH	Novartis(미국, EU, 영국, 일본, 호주, 캐나다, 한국)	혈액암
2017	YESCARTA	Kite Pharma(미국, EU, 영국, 일본, 캐나다, 중국)	
2017	LUXTURNA	Spark Therapeutics(미국, EU, 영국, 호주, 캐나다, 한국)	레트리니티 눈병증
2019	ZOLGENSMA	Novartis(미국, EU, 영국, 일본, 호주, 캐나다, 브라질, 이스라엘, 대만, 한국)	SMA대상 유전자치료
2020	TECARTUS	Kite Pharma(미국, EU, 영국)	
2021	ABECMA	BMS(미국,캐나다, EU, 영국, 일본)	CAR-T
2021	BREYANZI	BMS(미국, 일본)	
2022	CARVYKTI	Legend Biotech(미국, EU)	면역항암제
2022	ZYNTEGLO	bluebird bio(미국, EU)	헤모필리아 B

[32]

[표 37] 유전자 치료제 허가 목록

유전자 치료제는 기술의 특수성과 난이도로 인해 안전성, 효과, 가격 측면에서 아직까지는 시장성이 적다. 그러나 안전성과 효과를 높이기 위해 다양한 약물전달 기술들이 연구되고 있고, 높은 가격에 대응할 수 있는 가격정책이 고안되고 있어 가까운 미래에는 유전자치료제를 통한 난치·희귀병 맞춤치료가 실현될 것으로 보인다.

32) ZDNET Korea '美FDA, 유전자치료제 '진테글로' 허가…럭스터나·졸겐스마 이어 세 번째'

6) 바이오시밀러[33][34]

바이오시밀러는 특허가 만료된 오리지널 바이오 의약품과 품질 및 비임상, 임상 동등성이 입증된 복제약을 의미한다. 바이오 의약품의 발전으로 많은 질병에 대해 효과적이고 안전한 치료가 가능해졌지만 바이오 의약품의 높은 가격은 부담이 되었다.

특허가 끝난 바이오 의약품을 더 저렴한 비용으로 제공하는 바이오시밀러는 의료비 절감을 통해 국민건강과 복지증진에 크게 기여하고 있다. 미국 의료개혁 정책에서는 바이오 복제약 도입에 따른 의료비 감소분을 71억 달러로 추정하고 있다. 또한 수명연장, 암·만성질환·전염병 등이 확산되고 있는 현대사회에서 바이오시밀러의 출시로 건강수명 또한 크게 연장될 것으로 기대된다.

가) 가) 바이오의약품과 제네릭의약품의 비교[35]

바이오시밀러는 화학합성의약품의 복제약인 제네릭에 비해 개발하는데 높은 기술력과 오랜 시간 그리고 많은 비용을 필요로 한다. 화학합성의약품과 비교할 때 바이오의약품은 훨씬 복잡한 결정구조를 가지며, 이는 제네릭과 바이오시밀러 개발 및 생산과정에서 기술적 난이도를 높이는 데 기여한다.

① 유효성분

제네릭의약품은 신약과 동일한 유효성분을 포함하고 있어 유효성·안전성이 신약과 동일한 반면, 바이오의약품은 제조원료 또는 최종산물인 세포, 유전자, 단백질 등이 신약과 완전히 동일할 수 없으므로 효능이나 안전성 또한 신약과 동일하다고 볼 수 없다. 이러한 이유 때문에 바이오의약품의 제네릭의약품을 칭할 때에는 Biosimilar(유사-바이오의약품) 또는 Follow-on Biologics(후발-바이오의약품)이라는 용어가 사용된다.

② 신약과의 동등성 입증방법

제네릭의약품의 경우, 비교적 간단한 시험인 생물학적동등성시험, 비교용출시험, 비교붕해시험과 같은 의약품동등성시험을 통해 신약과의 동등성을 입증할 수 있다. 그러나 바이오시밀러는 특성분석시험, 비임상시험, 임상시험의 결과를 비교평가함으로써 신약과의 동등성을 입증하여야 한다.

---

33) 다양한 종류의 바이오 의약품으로 알아보는 바이오산업 현황, LG 케미토피아, 윤수영, 2016. 11.
34) http://blog.naver.com/h2hiro28/220143843595
35) 셀트리온 홈페이지 https://www.celltrion.com/biosimilar/generic.do

③ 해당제품의 범위

합성의약품은 특성분석이 용이한 편이기 때문에 대부분 제네릭의약품 개발이 가능하다. 그러나 바이오의약품은 유전자, 줄기세포 등 주성분의 특성분석이 어려워 제네릭 개발이나 동등성 입증 또한 어려운 경우가 많다. 식품의약품안전처에서 제공하는 '동등생물의약품 평가 가이드라인'은 원칙적으로 모든 바이오의약품에 적용될 수 있으나, 실제적으로는 특성분석이 잘된 단백질을 주성분으로 포함한 제품에 한하여 적용이 가능하다.

화학합성의약품 복제약 제네릭	단백질의약품 복제약 1세대 바이오시밀러	항체의약품 복제약 2세대 바이오시밀러
화학식만 알면 동일한 약품의 복제가 쉽게 가능	세포의 배양 조건, 정제 방법 등에 의해 최종 산물의 특성이 달라 동일하게 제조하는 것이 불가능하므로 유사하다(Similar)는 표현을 사용하여 '바이오시밀러'라 명칭	
화학공정을 통해 빠르고 저렴하게 복제 가능	분자 구조가 단순해 낮은 비용으로 비교적 쉽게 제품 개발 가능	분자 구조가 복잡해 개발이 어렵고 막대한 글로벌 임상비용으로 진입 장벽이 높음
개발 소요기간 2~3년	개발 소요기간 3~5년	개발 소요기간 5~10년
개발비용 200억~300억원	개발비용 1,000억~1,500억원	개발비용 3,000억원 이상 [36]

[표 38] 제네릭, 1세대 바이오시밀러, 2세대 바이오시밀러 비교

36) 셀트리온 홈페이지 https://www.celltrion.com/biosimilar/generic.do

4. 바이오 의약품 산업 동향

4. 바이오의약품 산업 동향

가. 업계 환경 분석[37)]

1세대 천연물의약품, 2세대 합성의약품 중심이었던 제약시장은 유전자재조합단백질, 세포치료제, 유전자치료제 등의 3세대 바이오의약품으로 패러다임 전환이 이루어졌으며, 향후 블록버스터 의약품 시장을 주도할 것으로 전망된다.

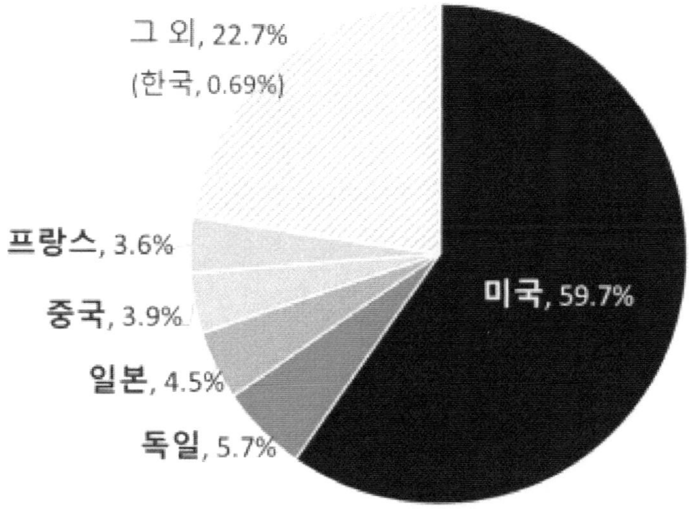

그림 45 바이오의약품 국가별 시장 점유율(2021)

국가별 바이오의약품 시장은 2021년 매출액 기준 미국이 59.7% 시장을 차지하며 타 국가에 비해 월등히 높은 점유율로 전 세계 바이오의약품 시장을 주도하고 있다. 다음으로는 독일(5.7%), 일본(4.5%), 중국(3.9%), 프랑스(3.6%) 등의 순으로 아시아 국가 중 일본과 중국이 5위권 내 시장 점유율을 보이고 있다.

37) 바이오의약품 국가 미래 신성장동력, 한국 IR 협의회, 2019.07.04

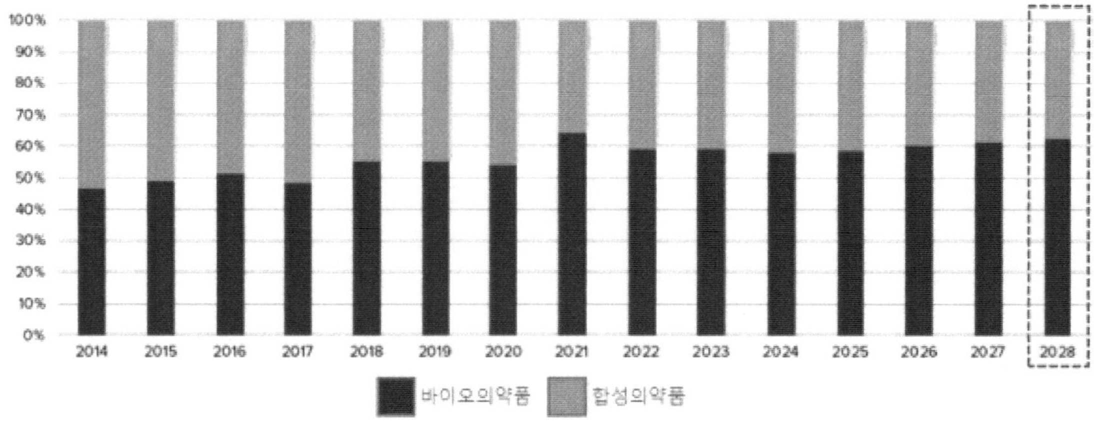

그림 46 글로벌 100대 의약품 중 바이오의약품 매출액 비중(2022)

'Evaluate Pharma(2022)'보고서에 따르면 글로벌 매출 상위 100대 의약품 중 바이오의약품 매출 비중은 '28년에 100대 의약품 매출액의 60% 차지할 것으로 전망하고 있다.

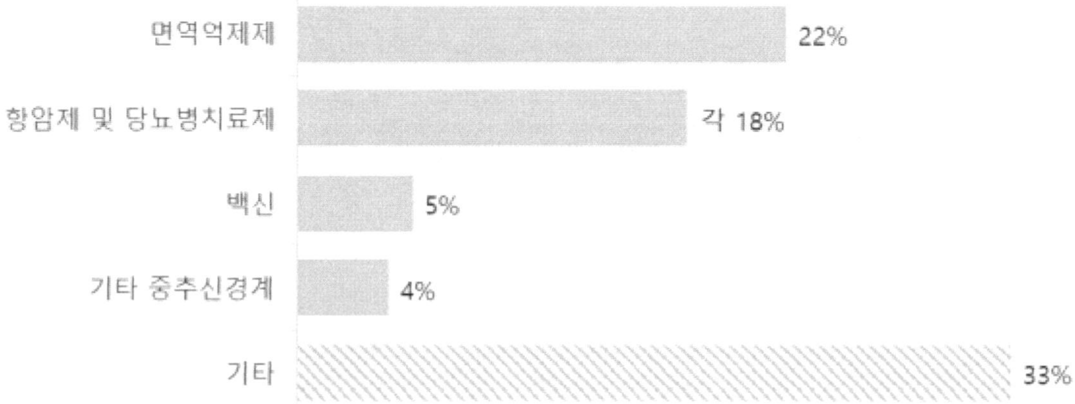

그림 47 글로벌 바이오의약품 약효군 별 시장점유율(2021)

바이오의약품 치료영역 측면에서 약효군 별로는 블록버스터급 의약품 '휴미라(HUMIRA)', '스텔라라(STELARA)', '엔브렐(ENBREL)' 등이 포함된 면역억제제가 22%로 가장 큰 비중을 차지했다.

다음으로는 항암제 및 당뇨병치료제가 각 18%를 차지했으며, 대표적인 바이오의약품 항암제는 '키트루다(KEYTRUDA)', '옵디보(OPDIVO)', '다잘렉스(DARZALEX)' 등이 있고, 당뇨병치료제로는 '트루리시티(TRULICITY)', '오젬픽(OZEMPIC)', '란투스(LANTUS)' 등이 있다.

순위	기업명	기업 국적	바이오의약품 총 매출 대비 비중(%)
1	ABBVIE	미국	9.5
2	NOVO NORDISK	덴마크	9.4
3	ROCHE	스위스	9.2
4	LILLY	미국	7.8
5	JOHNSON & JOHNSON	미국	7.3
6	SANOFI	프랑스	7.2
7	AMGEN	미국	6.6
8	MERCK & CO	미국	6.0
9	NOVARTIS	스위스	4.4
10	BRISTOL MYERS SQUIBB	미국	3.4
11	TAKEDA	일본	2.9
12	PFIZER	미국	2.5
13	GLAXOSMITHKLINE	영국	2.1
14	ASTRAZENECA	영국	2.0
15	BIOGEN	미국	1.7
16	BAYER	독일	1.4
17	CSL	호주	1.3
18	MERCK KGAA	독일	1.2
19	TEVA	이스라엘	0.9
20	IPSEN	프랑스	0.6
-	그 외	-	12.6
글로벌 바이오의약품 매출 비중 총 합계			100

자료: IQVIA, 2022

그림 48 글로벌 바이오의약품 매출 상위 20개 기업 현황(2021)

'IQVIA(2022)'에 따르면, '21년 글로벌 바이오의약품 매출 상위 1위 기업은

‘Abbvie’로, 매출액 413억 달러를 기록하였고, 글로벌 바이오의약품 매출액 총합의 9.5%를 차지한다. 매출 2위 기업은 ‘Novo Nordisk’로 매출액 408억 달러를 기록하였고, 글로벌 바이오의약품 매출액 총합의 9.4%를 차지한다.

이러한 매출 상위 20위 기업 중 유럽 기업이 9개 사(독일, 스위스, 영국, 프랑스 각 2개 사 및 덴마크 1개 사)로 가장 많았고, 다음으로는 미국 기업이 8개 등이 뒤를 이었다.

1) 해외 업계 현황

글로벌 바이오의약품 시장은 미국과 유럽 주요 5개국 (독일, 프랑스, 스위스, 영국, 덴마크)을 주도하고 있다. 대표적인 해외 바이오의약품 업체는 Roche(스위스), ABBVIE(미국), Sanofi(프랑스)등이 대표적이다.

가) Roche (스위스)

[그림 49] Roche

현재 의약품 매출 기준 3위인 로슈가 2028년 글로벌 의약품 시장을 선도할 최대 제약사가 될 것이라는 전망이 나온다. 로슈 신약개발을 위한 연구 투자는 물론 유전자 진단과 세포치료제, 희귀질환 등 다양한 신약 개발사를 인수합병(M&A)하면서 추가 성장 동력을 공고히 하고 있다는 평가다. 급변하고 있는 경제 상황 속에서도 미국과 스위스 시장에서 거래되는 로슈의 주식가격이 비교적 안정돼, 해외 제약 바이오 주식 투자자들에게 안정적인 투자처가 될 수 있다는 의견도 나온다.

로슈는 미국 또는 유럽 연합(EU)등 주요국에서 2020~2021년 사이 황반변성 등 안과

질환치료제 '서스비모'(성분명 라니비주맙) 및 '바비스모'(성분명 파리시맙), 비소세포 폐암치료제 '가브레토'(성분명 프랄세티닙), 거대 B세포 림프종 치료제 '폴리이비'(성분명 폴라투주맙 베도틴) 등 13종의 신약을 승인받았다. 최근 로슈는 야간헤모글로빈뇨증 치료제 후보 '크로발리맙'의 중국 내 허가 신청과 림프종 치료제 후보 '글로피타맙'의 EU내 허가 신청 등도 완료했다.

특히 안구 주사제인 바비스모의 투약 간격은 3~4개월로 경쟁 약물 대비 최대 2배가량 길다. 이 때문에 해당 약물이 2028년경 18억 달러의 매출을 기록할 것으로 전망되고 있다.

이에 로슈는 2020년 139억 달러, 2021년 161억 달러 등 2년 연속 매출액의 20% 이상을 R&D에 쏟아 부었다. 로슈 홈페이지에 따르면 2023년에 출시하는 임상 3상 진행 건수가 총 48건으로 집계됐다, 여기에 2023년 완료 17건, 2024년 완료 11건, 2025년 이후 완료 19건 등이 포함됐다.[38)]

38) PHARM EDAILY '6년 뒤 세계 최대 제약사는 어디? 로슈에 주목하라'

나) Sanofi (프랑스)[39]

[그림 50] Sanofi

최근 프랑스 사노피는 2022년에 원료의약품 사업부 분사를 마무리하고 프랑스의 파리증권거래소(Euronext Paris)에 상장할 예정이라고 발표했다. 사노피는 2021년 1월 새로 분사되었던 기업의 이름을 EUROAPI로 짓고, API 최첨단 산업역량과 기술로 'made in Europe'을 대표하게 될 것이라 밝혔다.

EUROAPI는 저분자의약품 API(원료의약품)에서는 세계 최대 제조 기업이며 API 매출 기준으로는 스위스 론자에 이어 세계에서 두 번째로 큰 기업이 될 예정이다. EUROAPI에는 3,350명이 근무하며 프랑스, 독일, 헝가리, 이태리, 영국에 6개의 생산시설과 연구센터를 운영하고, 약 200개의 원료의약품을 생산하고 있다. 2021년에는 8억 9천만 유로의 매출을 기록하였으며 2022년에는 매출 10억 유로 이상이다.

2020년 코로나19로 의약품 공급이 불안해지면서 프랑스 마크롱 대통령은 프랑스의 대외 의약품 의존도를 낮춰야 한다고 강조해 왔으며, 중국 및 인도가 주도하고 있는 원료 의약품 시장에서 EUROAPI는 유럽에 기반을 둔 API 기업으로 입지를 굳건히 할 것으로 예상된다.

한편, 동사는 특허만료로 인한 바이오시밀러의 출시 등으로 지속적인 매출감소를 기록하고 있으나 대표적인 인슐린 브랜드로 미국, 프랑스 및 독일에서 여전히 판매 1위를 차지하고 있다. 또한 매출감소를 채워줄 새로운 당뇨병치료제 Toujeo를 출시하였으며, 희귀질환 폼페병치료제 젠자임을 출시하여 지속적인 성장이 전망된다.

39) KoreaBio '[보고서] [이슈 브리핑] 프랑스 사노피, 세계 2위 원료의약품 기업 분사/상장'

다) AbbVie (미국)

[그림 51] AbbVoe

2002년 12월 미국 FDA 허가된 이후 2021년까지 미국 매출 1위를 기록한 (COVID-19 백신 제품 제외) Abbvie社의 휴미라(Humira)®의 바이오시밀러 제품이 주요 특허 만료에 의해 2023.1.31. 미국시장에서 출시되었다.

휴미라®에 대해서는 현재까지 총 312개의 미국 특허출원이 있는 것으로 알려져 있으며 그 중 166개가 등록된 바 있다. 이로서 휴미라®는 현재 특허출원 기준 최대 2038년까지 특허권의 독점 기간을 확보하게 되었다.흥미로운 것은, 그 중 약 94%가 휴미라®의 2002년 미국 FDA 허가 이후에 출원된 것이다. 당연하게도, 제품이 출시된 이후에는 특허출원이 사실상 불가능하므로 (특허 요건인 신규성•진보성을 잃게 됨), 94%의 특허출원은 최초 허가 이후 변경허가 등을 통해 휴미라®에 반영된 내용에 관한 것이라 할 것이다.

실제 휴미라®는 2002.12.31. 미국 허가된 이후 총 42번의 변경허가가 있었고, 그 중 23번이 효능(efficacy)에 관한 것이었으며, 효능 변경에는 신규 적응증(new indication) 추가, 신규 용법용량(new dosing regimen) 추가 등이 포함된다. 총 312개의 미국 특허출원 중 104개가 휴미라®의 효능에 관한 것으로 분류될 수 있는데, 그 중 100개가 최초 허가 이후 출원된 것이다.

한편, 휴미라®의 유럽 특허출원은 약 80개로 이는 미국의 1/3 이하 수준이며, 등록된 특허(2020.11) 역시 현재 6개에 불과하다. 이러한 이유로 유럽에서는 이미 2018.10. 휴미라®의 바이오시밀러가 출시된 바 있으며, 6개월 만에 약가 역시 70% 수준으로 떨어짐과 동시에, 총 시장점유율의 1/3 이상을 빼앗긴 바 있다.

결국 Abbvie의 미국 시장을 지키기 위한 특허 덤불 전략은 매우 유효하였고, 그 결과 유럽과 비교하여 바이오시밀러의 시장 진입을 무려 4.3년이나 지연시키게 되었다. 이는 매출액으로 환산시, 약 $77 billion으로 알려져 있다.[40)]

---

40) HITNEWS '휴미라, 주요특허 끝난 이후 오히려 미국서 대박났다'

2) 국내 업계 현황[41)]

국내 바이오의약품 생산실적 보고 기준 제조업체(제조소)는 2020년 67개소로 나타난다.

구분	제조소 수 (개)	생산금액 (억 원)
2017년	55	26,015
2018년	57	26,113
2019년	59	25,377
2020년	67	39,300

자료: 식품의약품안전처, 2021

※제조소 수: 1개 업체가 2개 이상 제조소를 보유한 경우, 각각 산정

그림 52 국내 바이오의약품 제조소 수 현황(2017~2020)

분류	정의	업체명
유전자재조합 단백질	유전자조작 기술을 기반으로 제조된 펩타이드 및 단백질	유한양행, 한미약품(주), 녹십자, 셀트리온, 삼성바이오에피스, LG생명과학, 한올바이오파마, **이수앱지스**, 동아제약
세포치료제	체외에서 배양, 증식, 선별, 조작된 세포	**메디포스트**, 파미셀, **안트로젠, 강스템바이오텍, 유틸렉스, 코아스템, ㈜차바이오텍**
유전자치료제	질병 치료 목적의 유전자 도입	**바이로메드, ㈜제넥신**
백신	감염병 및 일반 질환 예방 목적의 단백질 및 미생물체	녹십자, LG생명과학, 일양약품

* 볼드 표기 기업: 코스닥기업

[표 39] 바이오의약품 국내 기업 현황

41) KoBIA한국바이오의약품협회(2022) 「바이오의약품 산업동향보고서」

2021년 국내 바이오의약품 생산액 1위 업체는 '셀트리온'(1조 2,687억 원)이었고, '셀트리온'의 바이오의약품 생산실적은 국내 바이오의약품 총 생산실적의 26.8%를 차지하고 있다.

2021년 국내 바이오의약품 생산액 1조 원 이상인 기업은 '셀트리온' 1개 사로 나타났으며, 생산액 2위 기업은 '녹십자'(7,090억 원), 3위 기업은 '모더나코리아'(4,561억 원) 등 순이다.

순위	업체명	생산액			전년대비 증감률(%)
		2020	2021	비중(%)	
1	셀트리온	14,759	12,687	26.8	-14.0
2	녹십자	6,144	7,090	15.0	15.4
3	모더나코리아	-	4,561	9.6	-
4	한국아스트라제네카	-	4,055	8.6	-
5	엘지화학	2,587	3,086	6.5	19.3
6	에스케이플라즈마	1,279	1,216	2.6	-4.9
7	이수앱지스	977	1,199	2.5	22.8
8	대웅제약	670	1,030	2.2	53.6
9	보령바이오파마	875	1,015	2.1	15.9
10	동아에스티	919	968	2.0	5.3
소계 (1~10위)		28,210	36,907	77.9	30.8
바이오의약품 총 생산실적		39,300	47,398	100.0	20.6

자료: 식품의약품안전처, 2022

그림 53 국내 바이오의약품 생산실적 상위기업(2021년)

가) 유한양행

[그림 54] 유한양행

유한양행은 핵심 역량 증진을 위해 R&D 부문 투자를 지속적으로 확대해나가고 있다. 2022년 3분기 경영 성적은 매출 4242억원, 영업이익 45억원으로 전년 동기대비 각각 2.8%, 43.8% 급감했다. 다만 실적은 급감했지만 R&D 비용은 급격히 늘었다는 점은 회사가 얼마만큼 미래 수익 창출과 더불어 유망 제약·바이오 기술에 투자를 하고 있는지 여실히 드러냈다. 유한양행은 1~3분기 누적 R&D 투자에 391억원을 투자했다. 상반기에는 277억원을 R&D에 투자했다. 특히 3분기에만 114억원을 R&D에 투자해 제약, 의료 발전에 아낌없는 투자를 전개하고 있다.

유망 R&D 기술을 갖춘 저평가화된 K-바이오 벤처에 투자해 미래수익 창출(캐시카우)에도 적극적이다. 최근 6년간 해당 기술력이 유망한 투자를 통해 짭짤한 캐시카우 재미를 맛봤다. 회사가 2016년부터 작년까지 투자한 K-바이오 업체는 30개사 정도에 달한다. 이같이 유한양행이 유망 R&D 업체에 투자액을 늘리는 이유는 상업화 진행 성공 시 오른 가치만큼 수익을 거둬 드리기 때문이다.

그간 유한양행이 유망벤처에 투자한 분야로는 뇌종양 및 뇌질환 치료제, 면역강화 세포치료제, 비소세포폐암 항암치료물질, 임플란트, 웨어러블(착용형) 심전도계, 동물용 의약품 등 다양한 유망 치료기술을 보유한 K-제약·바이오 벤처에 투자했다. 즉 회사는 혁신 바이오기업의 투자를 통한 회수금과 더불어 R&D(연구개발) 투자에 아낌이 없는 셈이다. 국내 제약사 중 유한양행은 매출액 대비 R&D 투자 비중이 가장 높은 수준이다. 2021년 매출액 대비 R&D 투자 비중은 14.2%였다.

유한양행은 면역항암제와 더불어 순환계 및 대사성 질환(비만, 고혈압, 파킨슨병, 비알콜성지방간염 등)과 면역계 질환(류머티즘성 관절염, 퇴행성디스크질환 등) 다양한 파이프라인을 확보하고 연구개발을 진행 중이다.

이뿐만이 아니라 품목 다양화(전문의약품, 일반의약품)로 매출 창출을 일구고 있다. 회사는 품목 다양화로 2022년 상반기 매출은 8918억원, 영업이익은 392억원을 달성했다. 대표적으로 안티푸라민(소염진통제,) 자디앙(당뇨병 치료제), 트윈스타(고혈압 치료제) 등이 주요 매출군이다.

또한 유한양행은 자체 보유한 R&D 기술을 가지고 라이센스-아웃(기술수출)에도 적극적이다. 비록 2022년 3분기 기술수출로 벌어들인 수익은 31억원으로 전년대비 51.7% 줄었지만 여전히 회사의 경쟁력을 드러내는 R&D 파이프라인(신약후보 물질군)으로 통한다.

대표적으로 기술수출 한 신약으로는 렉라자(폐암신약)는 글로벌 제약사 얀센에 지난 2018년 12억5500만 달러(1조7000억원)로 규모로 수출했다. NASH(비알콜성 지방간염 치료제)는 길리어드 사이언스에 2019년에 7억8500만 달러(1조원 규모)로 수출했다.

여기에 더해 스파인바이오파마(2억1815만 달러(3078억원), 퇴행성디스크질환 치료제, 미국 임상3상), 베링거인겔하임[8억7000만 달러(1조2000억원),NASH 치료제,임상1상] 프로세사 파머수티컬[4억1050만 달러(5700억원), 위장관 질환 치료제) 등이 있다.

제약업계 한 관계자는 "유한양행은 자체 R&D 기술개발을 통해 기술수출뿐 아니라 유방 벤처에 투자해 향후 캐시카우 창출에도 적극적"이다 "여기에 더해 오픈이노베이션(협업)을 통해 미래 기술경쟁력 확보와 수익 실현에 집중하고 있다"고 말했다.[42]

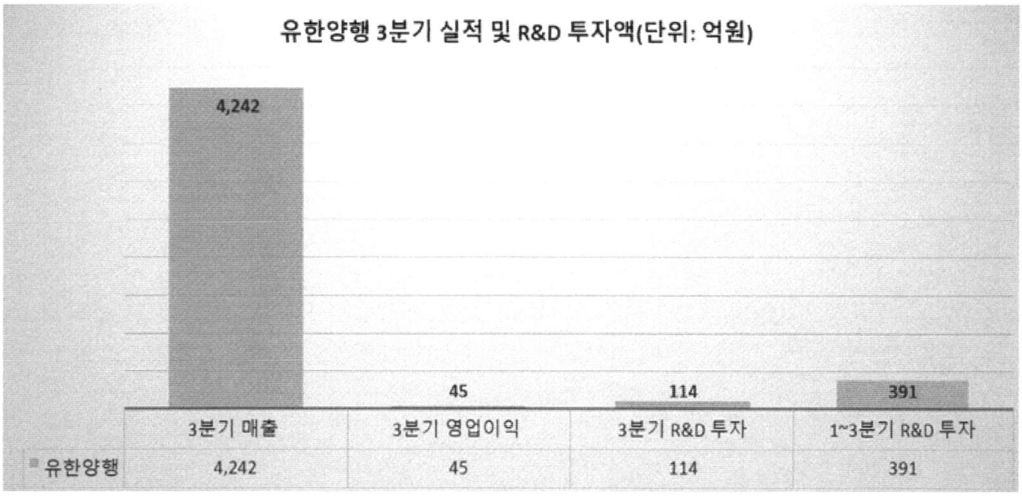

그림 55 유한양행 2022년 3분기실적&투자액

42) FETV12 '유한양행 R&D 투자 강화하는 까닭은?'

나) 한미약품

[그림 56] 한미약품

국내 신약개발을 선도하고 있는 한미약품의 최근 R&D의 중심축은 '랩스커버리'와 '희귀의약품', 그리고 '바이오신약'이다.

한미약품의 독자적 플랫폼 기술 '랩스커버리'는 단백질 의약품의 반감기를 늘려주는 혁신적 플랫폼 기술로 투여 횟수를 줄여 환자의 삶의 질을 높이며, 투여량을 감소시킴으로써 부작용은 줄이고 효능은 개선하는 기반 기술이다. 랩스커버리가 적용된 바이오의약품, 그 중에 희귀의약품이 한미약품 신약개발의 중심 타겟이 되고 있는 것이다.

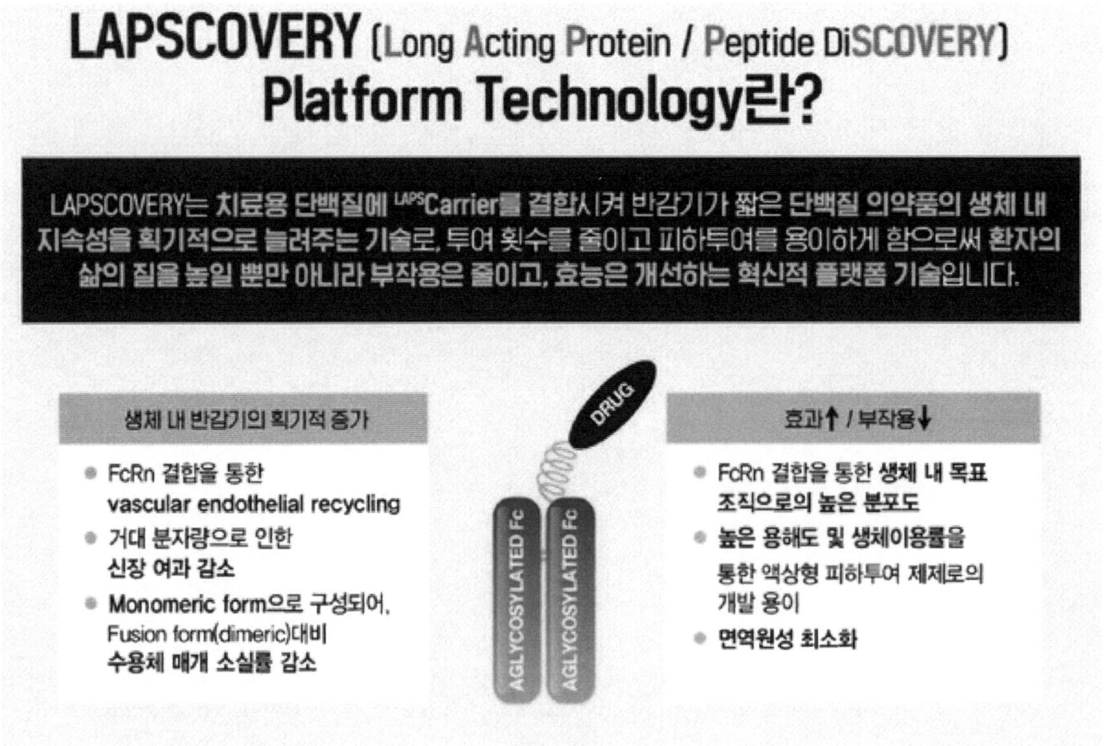

그리고 그 선두에 있는 것이 호중구감소증 치료 신약 '롤론티스' 이다. 이 신약은 2022년 9월에 미국 식품의약국(FDA) 시판허가 승인을 획득했다. '랩스커버리'의 상용화 가능성을 입증했다는 점에서 적지 않은 의미를 가진다는 평가이다.

롤론티스는 항암화학요법 치료를 받는 암 환자에서 발생하는 중증호중구감소증의 치료 또는 예방 용도로 쓰인다. 지난 3월 33번째 국내 신약으로 식약처 허가를 받은 신약이기도 하다.

롤론티스 외 한미약품이 현재 개발 중인 30여개 신약 중 랩스커버리가 적용된 바이오신약은 10여개에 달하고 있다. 특히 한미약품은 랩스커버리 기반 바이오신약의 적응증을 희귀질환 치료제 분야로 빠르게 확장하고 있어 더욱 주목 받는다.

후보물질명	적용증	희귀약 지정국가	지정년도
^{LAPS}Triple Agonist (HM15211)	원발 담즙성 담관염	미국 (FDA)	2020
	원발 경화성 담관염	미국 (FDA)	2020
	특발성 폐 섬유증	미국 (FDA)	2021
	원발 경화성 담관염	유럽 (EMA)	2021
	원발 담즙성 담관염	유럽 (EMA)	2022
	특발성 폐 섬유증	유럽 (EMA)	2022
Oraxol	혈관육종	미국 (FDA)	2018
	연조직육종	유럽 (EMA)	2019
^{LAPS}GLP-2 Analog (HM15912)	단장증후군	미국 (FDA)	2019
		유럽 (EMA)	2019
		한국 (식약처)	2019
	희귀 소아 질병(RPD) - 단장증후군	미국 (FDA)	2020
HM43239	급성 골수성 백혈병	미국 (FDA)	2018
		한국 (식약처)	2019
^{LAPS}hGH (efpegsomatropin)	성장호르몬 결핍증	유럽 (EMA)	2018
^{LAPS}Glucagon Analog (HM15136)	선천성 고인슐린증	미국 (FDA)	2018
		유럽 (EMA)	2018
		한국 (식약처)	2019
	인슐린 자가면역 증후군	유럽 (EMA)	2020
	희귀 소아 질병(RPD) - 선천성 고인슐린증	미국 (FDA)	2020

한미약품은 2022년 9월까지 오스트리아 빈에서 열린 유럽임상영양대사학회(ESPEN)에서 월 1회 투여 제형으로 개발중인 단장증후군 치료 혁신신약 'LAPSGLP-2 analog(HM15912)'의 글로벌 임상 2상과, 'LAPSGLP-2 analog' 및 'LAPSExd4 analog(에페글레나타이드)' 병용의 염증성장질환(IBD) 치료제 개발 가능성을 확인한 전임상 2건을 발표했다.

HM15912는 GLP-2(glucagon-like peptide 2) 유사체(analog)에 한미약품의 약물 지속형 플랫폼인 랩스커버리(LAPSCOVERY) 기술을 적용한 혁신신약으로, GLP-2의 개선된 체내 지속성과 우수한 융모세포 성장촉진 효과를 토대로 세계 최초 월 1회 투여 제형으로 개발되고 있다.

HM15912는 2019년 미국 FDA와 유럽 EMA, 한국 식약처로부터 각각 희귀의약품으로 지정됐으며, 2020년엔 FDA로부터 소아희귀의약품(RPD)으로, 2021년엔 FDA로부터 패스트트랙 개발 의약품으로 지정됐다.

또한 한미약품은 2022년 10월에 진행된 스웨덴 스톡홀름에서 열린 유럽당뇨학회(EASD)에 참가해 'LAPSTriple agonist(HM15211)' 연구결과 2건과 'LAPSGlucagon analog(HM15136)' 연구결과 1건을 온라인을 통해 포스터로 발표했다.

비알코올성지방간염(NASH) 치료신약으로 개발중인 LAPSTriple agonist는 GLP-1 수용체, 글루카곤 수용체 및 GIP 수용체를 모두 활성화하는 삼중 작용 바이오 혁신신약이다. 다중 약리학적 효과를 바탕으로 NASH 환자에서의 지방간과 간 염증, 간 섬유화 등의 복합 증상을 효과적으로 개선할 수 있을 것으로 기대되고 있다.

이와 함께 한미약품은 LAPSTriple agonist가 특발성 폐섬유증(IPF) 모델에서 폐 기능 및 생존률도 획기적으로 개선한다는 연구 결과도 발표했다. 이를 통해 LAPSTriple agonist가 미충족 의료수요가 큰 폐섬유증으로도 치료 영역을 확장할 수 있을 것으로 기대된다.

미국 FDA는 2020년 LAPSTriple agonist는 패스트트랙 개발 의약품으로 지정했으며, 현재 한미약품은 생검(biopsy)으로 확인된 NASH 및 간 섬유화 환자를 대상으로 후기 임상 2상을 미국 및 한국에서 진행하고 있다.

LAPSTriple agonist는 또 미국 FDA와 유럽 EMA로부터 원발 담즙성 담관염, 원발 경화성 담관염, 특발성 폐 섬유증 등 적응증으로 총 여섯 건의 희귀의약품 지정을 받아, 국내 제약사가 개발한 신약 중 가장 많은 희귀의약품 지정 기록을 갖고 있다.

이외에 세계 최초 주 1회 투여 제형의 선천성 고인슐린혈증치료 바이오 신약으로 개발 중인 LAPSGlucagon analog는 단일 요법에서 지속적 공복 혈당상승 등 혁신성을 인정받아 SCI 국제학술지 '당뇨, 비만 그리고 대사(DOM, Diabetes, Obesity and Metabolism) 2022년 3월호 표지 논문에 등재된 바 있다. 지난 2018년 FDA와 EMA는 LAPSGlucagon analog를 선천성 고인슐린혈증 희귀의약품으로 지정했으며, 2020년 EMA는 인슐린 자가면역증후군 희귀의약품으로, FDA는 소아희귀의약품(RPD)으로 추가 지정하기도 했다.

한미약품은 6개 파이프라인에서 10가지 적응증으로 총 20건(미국 FDA 9건, EMA 8건, 한국 식약처 3건)의 희귀의약품 지정 기록을 보유하게 되어, 국내 제약바이오 기업 최다 기록을 자체 경신했다.

FDA 및 EMA의 '희귀의약품 지정'은 희귀•난치성 질병 또는 생명을 위협하는 질병의 치료제 개발 및 허가가 원활히 이뤄질 수 있도록 지원하는 제도다. 유럽의 경우 허가신청 비용 감면, 동일계열 제품 중 최초 시판허가 승인 시 10년간 독점권 등 혜택이 부여된다.[43)]

43) 의학신문 '국내 신약개발 선도 한미약품의 선택은?'

다) 셀트리온

[그림 59] 셀트리온

바이오시밀러 개발을 기반으로 국내 바이오의약품 시장을 선도하는 대표기업이다. 셀트리온은 설립 초기부터 기반기술과 인프라를 확보하여 자체제품 개발하여 신약개발에 성공하였으며 140,000 L 규모의 cGMP 설비를 보유하고 있다.

2016년 출시된 대표제품 램시마주(인플릭시맵)는 류머티즘성관절염, 강직성 척추염, 궤양성 대장염, 크론병, 건선 등의 적응증을 대상으로 개발된 바이오시밀러로 국내독점판매권을 확보하고 있으며 미국, 유럽, 일본 등의 국가에 진출하였으며, 2018년 4분기 미국에서 매출 7천만 달러를 달성하며 명실상부한 제약업계의 블록버스터로서 입지를 구축하였다.

셀트리온은 경영실적 공시를 통해 2022년 연결 기준 매출액 2조 2,839억원으로 전년대비 20.6% 증가했다고 밝혔다. 역대 최대 규모 실적이다. 영업이익은 6,471억원으로 전년대비 13.03% 감소했고, 당기순이익은 5,379억원으로 9.72% 줄었다.

회사 매출액은 램시마IV 미국 점유율 급증 및 신규 제품 출시에 따른 바이오시밀러 사업 매출과 다케다 인수 제품 중심으로 케미컬 사업 매출이 성장하며 증가했다고 밝혔다. [44]

셀트리온은 현재 결장직장암 치료제 'CT-P16'(아바스틴 바이오시밀러), 알러지성 천식 및 만성 두드러기 치료제 'CT-P39'(졸레어 바이오시밀러), 골다공증 치료제 'CT-P41'(프롤리아 바이오시밀러), 안과질환 치료제 'CT-P42'(아일리아 바이오시밀러), 자가면역질환 치료제 'CT-P43'(스텔라라 바이오시밀러) 등 후속 바이오시밀러도 개발하고 있다. 2030년까지 매년 1개 이상의 후속 제품 허가를 받는다는 목표다.

44) 팜뉴스 '셀트리온,매출 20.6%↑ 2조 2,839억 '역대 최대' - 영업익 13%↓'

라) 녹십자

[그림 60] 녹십자

2002년부터 항암면역세포치료제 ‘이뮨셀-엘씨’를 개발하여 2007년 간암에 대한 항암제로 국내 식품의약품안전처(MFDS)의 품목허가를 획득하여 생산, 판매하고 있다.

2005년 국내 세포치료제 중 최초로 연간매출 100억 원을 돌파하며 지속적인 매출성장을 기록하고 있다. 이뮨셀-엘씨는 환자의 혈액을 약 2주간의 특수한 배양과정을 통해 항암능력이 극대화된 면역세포로 배양하여 환자에게 다시 투여하는 새로운 개념의 환자 맞춤형 면역항암제이다.

한편 제약바이오 기업들이 최근 연구개발(R&D) 투자를 크게 확대했다. 녹십자는 2022년 투입한 R&D 비용이 전년보다 24.0% 증가한 2136억원으로 집계됐다. 녹십자는 바이오신약과 백신 분야에서 다양한 R&D 파이프라인을 가동 중이다. 혈우병, 만성B형간염, 대장암 등의 바이오신약을 개발 중이다.

또한 면역결핍질환 치료 목적의 면역글로불린제제는 북미 임상3상을 완료하고 미국 진출을 준비 중이며, 녹십자는 탄저, 결핵, 대상포진 등의 백신 제품에 대해 임상시험을 전개 중이다.[45)]

45) 데일리팜 ‘위기를 새 기회로...제약 '코로나 3년' R&D 투자 급증’

마) 메디톡스

[그림 61] 메디톡스

메디톡스는 전 세계에서 유일하게 각각의 특장점을 갖춘 3종류의 보툴리눔 톡신 제제를 자체 개발한 연구개발 기반의 바이오제약 기업이다.

대표제품인 이노톡스와 코어톡스는 사람 혈청 알부민과 제조공정상 동물성 유래물질을 완전히 배제하여 안전성을 강화하였으며, 액상 제형으로 개발되어 시술자의 편의성이 개선되었고, 독소단백질 복합체에서 복합단백질이 제거되어 내성의 위험성을 줄인 강점을 지니고 있다.

코어톡스(뇌졸중 후 상지경직), MT921(합성신약, 지방분해) 등의 파이프라인을 확보하고 임상에 진입하였으며, 바이오 제약 분야의 숙련된 인재를 꾸준히 채용하는 등 내실을 견고하게 다지기 위한 지속적인 노력을 기울이고 있다.

식약처가 조치한 메디톡스의 보툴리눔 톡신 제품 3종에 대한 품목허가 취소 처분에 대해 법원이 연이어 효력정지 결정을 내리면서 메디톡스는 해당 주요 제품들을 모두 정상 판매 중이다. 메디톡스는 이를 통해 영업이익을 흑자로 전환할 것으로 전망된다. 시장조사기업 에프엔가이드에 따르면 메디톡스의 2022년 매출(연결기준) 1,951억원, 영업이익 467억원, 순이익 376억원을 달성했다고 밝혔다. 전년 대비 매출은 6%, 영업이익은 35% 증가했으며, 지난해 계약 종료 정산으로 반영된 일시적 이익의 기저효과로 순이익은 60% 감소했다.

2022년도 4분기만 보면 매출 523억원, 영업이익 163억원을 달성해, 지난 3분기 11분기만에 달성한 매출 500억원 경신을 두 분기 연속 달성했으며, 영업이익률도 2019년 1분기 이후 처음으로 30%를 넘는 31%를 기록했다.

이 같은 호실적은 톡신과 필러 등 주력 사업의 높은 성장세가 견인했다. 전년대비 톡신 제제 매출은 해외와 국내 각각 99%, 26% 성장했으며, 필러 분야도 해외와 국내 각각 29%, 24% 성장했다. 특히, 작년 대량생산에 돌입한 코어톡스는 국내 점유율 확대에 기여하며 메디톡스의 새로운 주력 제품으로 자리매김했다.

메디톡스는 2022년의 매출 안정화 기조를 바탕으로 2023년의 주력 사업인 톡신 분야의 글로벌 경쟁력을 강화하고, 신사업 확장을 통해 신규 성장동력을 발굴, 사상 최대 매출 달성에 도전할 방침이다.

메디톡스 주희석 부사장은 “글로벌 톡신 시장에서의 압도적 경쟁력을 바탕으로 메디톡스는 올해 사상 최대 매출에 도전할 것”이라며 “이를 달성하기 위해 기존 주력 사업의 성장은 물론이고 더마코스메틱과 건강기능식품 등 신사업 분야에서도 성과를 창출하는데 주력할 방침”이라고 말했다.46)

메디톡스 2022년 실적 (잠정)

(단위 : 백만원, %)

구분	2022년	2021년	증감률 ('22년 / '21년)
매출액	195,096	184,869	6.0
영업이익	46,664	34,491	35.0
당기순이익	37,567	93,262	- 60.0

medifonews 자료 출처 : 전자공시 / 정리 : 메디포뉴스

46) medifonews ‘메디톡스, 2022년 매출 1,951억, 영업이익 467억 달성…올해 최대 매출 도전’

바) 강스템바이오텍

[그림 63] 강스템바이오텍

줄기세포치료제 신약개발을 주사업으로 하고 있으며, 아토피 피부염, 류머티즘성 관절염 등 자가면역질환을 대상으로 임상시험을 진행하고 있다.

아토피피부염 치료제 퓨어스템-AD 주는 2017년 12월 임상 3상에 대한 식품의약품안전처 승인을 받고 당기에 전국 11개 대학병원에서 총 194명 환자를 대상으로 투약을 완료하였다.

강스템바이오텍은 식품의약품안전처로부터 아토피피부염 줄기세포 치료제 '퓨어스템-에이디주'의 임상 3상 시험을 승인받았다. 임상 3상은 국내 약 15개 병원에서 시험군 204명, 위약군 102명 등 총 306명의 아토피피부염 환자를 대상으로 이뤄질 예정이며 2023년 8월 종료할 예정이다.

회사는 2024년께 제품의 허가가 가능할 것으로 예상하고 있으며 강스템바이오텍에 따르면 퓨어스템-에이디주는 1회 투여해 아토피 증상을 개선할 수 있도록 개발된 동종 제대혈(탯줄혈액) 줄기세포 치료제다. 2019년 10월 임상 3상 통계 분석에서 유의성을 확보하지 못해 임상시험 설계를 보완해 3상을 재추진하고 있다.

강스템바이오텍은 이번 임상 3상에서는 줄기세포치료제에 동결제조기술을 적용해 최적의 활성을 유지하는 세포가 환자에 투여되고, 임상 과정에서 병용하면 안 되는 약물에 대한 통제를 강화하는 식으로 보완했다고 설명했다.

나. 기술 심층 분석

1) 유전자재조합 단백질

유전자재조합 단백질은 유전자재조합, 세포배양, 단백질공학 등의 기술을 기반으로 미생물, 동물세포를 이용하여 대량 생산이 가능한 바이오의약품으로 치료용 단백질, 항체의약품, 바이오시밀러, 바이오베터로 구분되며, 작용기전 및 치료의 목적에 따라 세포조절단백질, 면역조절단백질, 효소 및 저해제 등으로 분류할 수 있다.

구분	치료용단백질	항체의약품	바이오시밀러	바이오베터
정의	•인체 천연 단백질과 유사한 구조와 기능을 보유 •인제 내의 부족한 유용 단백질 보충	•안정한 구조를 가진 항체 •발병기전에 관련된 단백질을 표적으로 함	•특허 만료된 의약품과 효능이 동등한 복제약	•기존 단백질의약품의 효능과 편의성 등을 개선한 신약

[표 40] 유전자재조합 단백질 의약품의 종류

유전자재조합 단백질은 표적 단백질을 코딩하는 유전자를 발현벡터에 삽입한 후 숙주세포를 활용하여 대량생산하는 것이 핵심으로, 이 중 유전자재조합 단백질 생산을 위한 고효율성 세포주를 만드는 과정이 가장 중요하다.

일반적으로 바이오의약품 시장에 시판 중인 치료 목적의 유전자재조합 단백질의 절반 이상은 포유류 세포를 활용하여 생산되고 있다. 미생물을 활용한 단백질 생산공정은 몇몇 단백질들은 손쉽게 생산이 가능했지만, 실제 유용한 단백질을 생산하는데 있어 제한점을 지니고 있다. 진핵 세포에서 일어나는 당화 등의 단백질 번역 후 변형(post-translation modification)이 이루어지지 않아 실제 기능을 하는 단백질 생산이 불가능한 것이다. 이러한 이유로 포유류 세포를 활용한 생산 공정을 연구하게 되었고, 현재, CHO cell(Chinese hamster ovary cell)이 가장 많이 활용되고 있다.

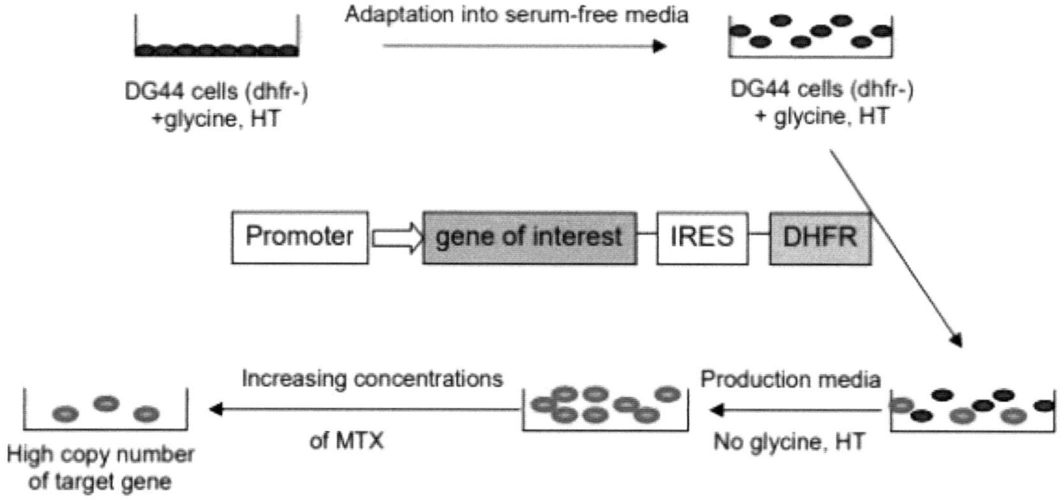

[그림 64] CHO cell을 활용한 유전자재조합 단백질 제조 공정

현재, 유전자재조합 단백질 의약품 중 연구개발이 가장 활발한 분야는 바이오시밀러이다. 선진국을 중심으로 특허가 만료된 단백질 의약품에 대한 바이오시밀러 개발이 가장 활발히 이루어지고 있으며, 임상 단계인 세계 바이오시밀러 파이프라인이 130개로, 약 49%의 비중으로 선진국에 집중되어 있다.

바이오시밀러는 특허가 만료된 오리지널 의약품을 대상으로 동일한 성분으로 만들어지는 바이오의약품이다. 2015년 레미케이드의 특허가 유럽 주요국에서 만료되었고, 엔브렐, 리툭산, 휴미라 등의 바이오신약도 2016년~2019년 유럽, 미국 등에서 특허가 만료됨에 따라 바이오시밀러 시장의 성장 잠재력은 매우 높다고 할 수 있다.

2016년 유럽에서 치료용 단백질 바이오시밀러가 최초로 출시 되었으며, 유럽시장에 5개 성분(인성장호르몬(hGH), 과립구집락자극인자(G-CSF), 적혈구 생성인자(EPO), 난포자극호르몬, Insulin)을 기반으로한 의약품이 시판 중이다.

항체의약품 바이오시밀러는 블록버스터 제품 위주로 개발 중이며, 셀트리온이 국내 선두주자라 할 수 있다. 셀트리온의 램시마가 유럽시장에 시판 중이며, 트룩시마도 유럽 EMA 허가 후 2016년 판매를 개시하였으며, 2018년 초 허쥬마의 유럽 판매를 시작하여 10%의 시장을 점유하고 있다.

제품명	주요 적응증	'13년 매출	특허만료시기		개발 개수	개발 단계
			유럽	미국		
Humira	류머티즘성 관절염	110	'18.04	'16.12	5	임상3상
Enbrel	류머티즘성 관절염	88	'15.02	'29.04	9	시판허가
Remicade	류머티즘성 관절염	84	'15.02	'18.09	5	시판허가
Rituxan	비호지킨 림프종 등	75	'13.12	'15.12	17	임상3상
Avasrin	대장암	65	'18.04	'19.07	1	임상3상
Herceptin	유방암	66	'14.07	'19.06	2	시판허가

[표 41] 항체의약품 특허만료 및 바이오시밀러 개발현황 (단위: 억 달러)

국가 ('14.7 기준)	임상 파이프라인
유럽	35
미국	19
인도	19
한국	9
호주	8
멕시코	8
일본	7

[표 42] 국가별 바이오시밀러 개발현황

고령화 사회 진입 가속화로 인한 만성질환 환자 증가와 특허만료, 의약품의 기회 의료비 지출 절감 요구 증대(바이오시밀러 가격은 오리지널 대비 약 70% 수준임)로, 각국의 의료비 지출 절감에 대한 요구가 새로운 기회 요인으로 작용하나 관련 규정 확립 등으로 수요 확대 전망 대체처방에 대한 부정적인 입장, 기존 의약품의 부작용을 고스란히 내포하고 있다는 것이 단점이다.

2) 세포치료제

세포치료제는 살아있는 자가, 동종, 이종 세포를 체외에서 배양·증식하거나 선별하는 등 물리적, 화학적, 생물학적 방법으로 조작하여 제조하는 의약품이다. 특정 질환의 치료에 살아있는 세포가 이용된 최초의 사례는 수혈과 골수이식이다.

세포치료제는 1세대 바이오의약품인 재조합단백질 의약품과 2세대 바이오의약품인 단일클론항체의 짧은 약효, 적용 범위가 적은 한계점을 극복하여 보다 근본적인 치료가 가능할 것으로 예측되고 있다.

세포치료제 기술은 신약개발 효율화, 조직공학 및 바이오장기 개발 등 다양한 분야에서 적용 가능한데, 치매(뇌 신경 세포), 퇴행성 관절염(연골세포), 당뇨(췌장 세포) 등 다양한 만성난치질환 영역에서의 치료제개발이 활발히 이루어지고 있다.

세포치료제는 그 기원에 따라 줄기세포, 면역세포, 피부세포 등으로 나눌 수있다. 줄기세포는 다시 그 기원에 따라 배아줄기세포, 역분화줄기세포, 성체줄기세포로 분류되며, 면역세포는 수지상세포, T세포 등으로 분류된다.

구분	종류	세부 유형	적용 질환
줄기세포	배아줄기세포	•골수유래줄기세포 •제대혈유래줄기세포 •말초혈액유래줄기세포	•심혈관질환 •척수손상 •관절염, 당뇨
	역분화줄기세포		
	성체줄기세포		
면역세포	T세포	•종양 침윤 T세포 •CAT-T세포 •TCR-T세포	•백혈병 •간암, 폐암 •자가면역질환
	자연살해세포		
	수지상세포		
체세포	피부세포	•표피, 진피세포	•피부화상, 흉터
	연골세포	•연골세포	•퇴행성 관절염

[표 43] 세포치료제의 종류

미국 NIH(National Institute of Health, 국립보건연구원)가 발표한 자료에 따르면 1998년부터 2015년까지 총 317건의 줄기세포 치료제 임상 연구가 등록됐으며 개발 초기 단계에는 미국이 전체 임상의 65%를 차지하면서 시장을 주도해 나아갔다.

한국은 지난 2004년 최초의 상업적 줄기세포 임상 연구를 시작으로 2015년까지 46건의 임상을 진행했다. 그 결과 한국의 임상 점유율은 15%로 미국에 이어 세계 2위를 차지했다.47)

국내에서는 2012년 이후 임상시험이 증가하는 추세이며, 2상 이상의 임상시험은 9건이 진행 중이며, 해외에서의 연구 및 상업 임상은 3건이 진행 중이다. 국내외 품목허가 줄기세포 치료제는 6건이며, 2011년부터 줄기세포 상용화 촉진을 위한 정부 정책 등으로 국내 승인 제품이 다수 존재한다.

세포치료제의 핵심기술은 생산에 이용되는 줄기세포, 체세포 등을 추출하는 기술, 세포주 확립기술, 분화 유도 기술, 대량생산기술, 안전성 제어기술로 구성되며, 유전자치료제, 저분자 화합물 및 바이오의약품과 융합을 통한 병용치료 및 병용치료기술 형태로 발전하고 있다. 이로 인해, 세포치료제 시장은 면역세포-유전자치료제, 면역세포-항체치료제 등의 새로운 시장을 형성하고 있다.

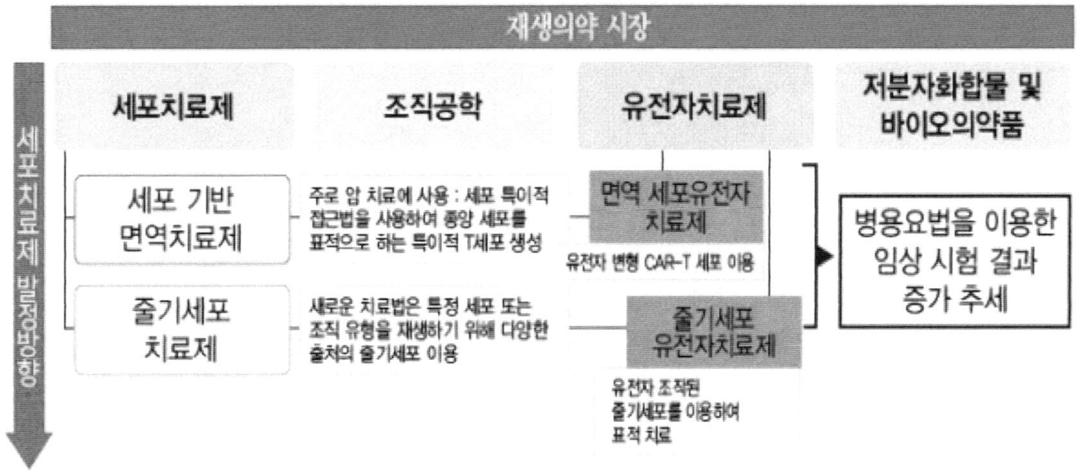

[그림 65] 세포치료제 기술의 발전 동향

최근 세포치료제는 인체의 면역력 조절을 통한 면역세포치료제 개발이 활발하게 이루어지고 있다. T세포의 항암 면역 활성이 '면역 관문(immune checkpoints)'에 의해 조절된다는 사실이 밝혀지게 되면서 항암제 개발 연구는 큰 전환점을 맞이하게 되었다.

47) BioTimes '첨생법 시행으로 '줄기세포 치료제' 주목, 최근 개발 동향은?'

면역세포제는 크게 수지상세포, 자연살해세포, T세포로 분류될 수 있다. 환자에게 직접 면역세포를 투여하여 면역기능을 활성화하여, 치료 효과를 얻기 때문에 향후 바이오 신약의 주요한 부분을 차지할 것으로 예상되며, 주로 암 치료를 적응증으로 개발되고 있다.

면역세포치료제는 환자의 면역세포를 외부에서 암세포를 인식할 수 있도록 조작하는 방식으로 기존의 화학요법 항암제에서 나타나는 면역세포 사멸로 인한 부작용을 최소화할 수 있다는 강점을 지닌다.

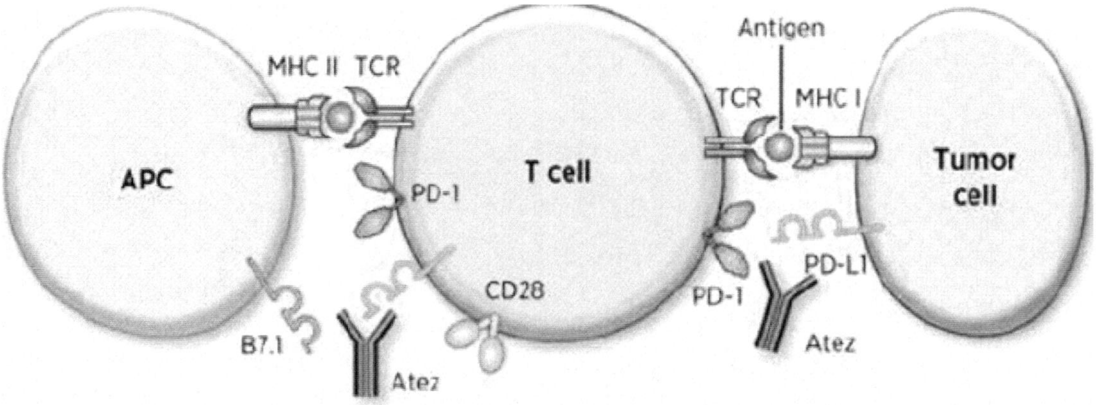

[그림 66] 면역항암세포치료제 작용 기전

하지만, 세포치료제는 실용화되기까지 엄격한 규제가 적용되며, 다단계의 개발과정으로 기술의 실용화까지 장기간이 소요되기 때문에 장기투자가 필요하며, 개발과정에 따른 안전성, 유효성을 입증하는 임상시험이 완료된 후에도 의약품 허가 및 이의 실용화를 위한 GMP 시설 투자 등으로 진입장벽이 높은 특성을 가지고 있다.

또한, 세포치료제는 골수, 조혈모세포 등 인체를 대상 소재로 하므로, 생체 자원의 확보가 어려우며, 이러한 자원 확보 과정에서 윤리적 문제 등이 제한 요인이다.

3) 유전자치료제

유전자치료제는 질병 치료 등을 목적으로 결함이 있거나 결핍된 유전자를 대체하거나 수정하여 인체에 투입하는 의약품으로 치료용 유전자와 유전자전달체인 벡터로 구성되며, 전달 방식에 따라 in vivo, ex vivo로 구분된다.

① in vivo

표적 세포 및 조직에 치료 유전자를 직접 주입하는 방법으로 환자의 세포를 채취하고, 유전자가 도입된 세포를 다시 몸속으로 넣어주는 번거로운 과정이 불필요하다. 하지만, 표적 이외의 세포나 조직에서 발현되어 오프타깃효과(Off-Target Effect)가 발행할 가능성이 있으며, 면역 반응에 의해 표적 세포에 도달하기 전에 제거될 가능성이 있다.

② ex vivo

체외에서 표적세포에 유전자를 도입하여 형질 전환시켜 선별 후, 증식시켜 대상조직에 삽입하는 방법으로 in vivo 방식에 비해 유전자 전달이 용이하며, 오프타깃효과(Off-Target Effect)와 면역반응에 의해 제거되는 확률을 줄일 수 있다. 형질 전환된 세포에 대해 선별, 증식, 품질평가가 가능하여 안정성이 확보될 수 있다는 것 또한 장점이다.

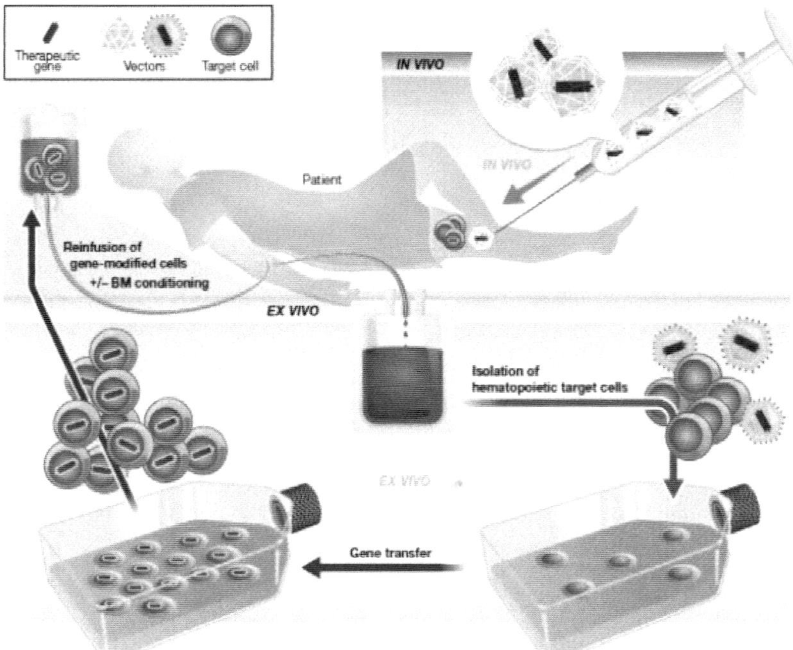

[그림 67] in vivo / ex vivo 유전자 치료법 비교

유전자치료제는 생명공학 기술발전에 따라 치료가 불가능하게 여겨졌던 질병들을 정복해 나가는 것을 가능하게 함으로써 인류에 기여하는 바가 크다. 패스트트랙과 희귀의약품, 혁신의약품, 우선 심사 등을 통해 임상 기간 단축이 가능하며, One-Shot Therapy로 효능이 지속되어 보다 근본적인 치료가 가능한 장점을 가진다.

지단백분해효소 결핍증 치료제인 Glybera의 2012년 유럽판매승인 후, 세계적으로 유전자치료제의 개발 성과가 가시화되어 지속적으로 성장해왔지만, 효율적인 생산시설의 확보가 어려워 높은 약가를 형성하고 있으며, 환자수가 적은 경우 매출액이 미미할 가능성이 존재한다. 또한, 최근 중국에서 CRISPR 기술로 인간배아 유전자편집 실험이 성공했다는 논문을 발표함에 따라 본격화된 유전자편집과 관련된 사회적 논쟁과 최근 국내의 인보사 사태로 인한 사회적 인식이 기술개발 및 사업화에 영향을 미칠 수 있다는 점이 유전자치료제의 위험요소라 할 수 있다.

4) 백신

백신은 질병에 대한 면역력을 높이고자 면역체계에 인위적으로 항원을 주입하여 선택적으로 질병을 예방하는 치료제이다. 목적에 따라 예방용과 치료용, 항원의 수에 따라 1가 백신 및 다가 백신으로 구분되고 있다. 백신은 공공재적 성격이 강해 정부가 수요처이다.

형태	정의	종류
약독화 생백신	질병 유발 미생물을 약화시켜 인체 내에 주입하는 백신	홍역, 볼거리, 풍진, 수두 등
불활성화 백신	질병 유발 미생물을 화학제 또는 열처리하여 불활성화한 백신	A형간염, 인플루엔자 등
유전자재 조합백신	질병 유발 미생물로부터 항원 유전자를 분리 후 원하는 항원만을 생산하는 형태의 백신	B형 간염 등
변성독소 백신	질병 유발 미생물이 생산하는 독소에 대해 대항하는 항체를 유도하는 백신	파상풍, 디프테리아등
다당 백신	질병 유발 미생물의 세포벽 주성분인 다당을 추출하여 제조한 백신	폐렴구균, 수막염 등

[표 44] 주요 백신의 종류

성공적인 백신의 접종은 두 가지 면역 효과를 획득할 수 있다. 체액성 면역(Humoral immunity, antibody-mediated immunity, 항체 매개)과 세포성면역(Cellular, cell-mediated immunity) 반응이다. 즉, 일반적으로 알고 있는 것처럼 백신을 맞게 되면 항체가 생겨나서 다음에 그 병원체의 침입이 있게 될 때 즉각 대응할 수 있는 능력인 체액성 면역뿐만 아니라, 해당 병원체를 항원으로 기억하고 있으면서 병원체의 침입이 있을 시, 식세포작용과 염증 유발물질인 싸이토카인(Cytokine)을 방출하여 직접적으로 병원체를 공격하는 T 림프구의 작용을 유발하는 세포성 면역 모두를 유도하게 하는 것이 백신 접종의 목표이다.

다. 국내시장

1) 규모 및 전망[48)49)]

(매출액 기준, 단위 : 억 원, 명)

구분	시장규모 (2021)	시장규모 증가분 (2022~2032)	취업유발효과 (9.28146)	생산유발효과 (1.46539)	부가가치 유발효과 (0.87133)
보건의료 분야 (37.6%)	3,008	97,704	90,683.6	143,174.5	85,132.4
금융분야 (14.6%)	26,281	91,391	84,824.1	133,923.5	79,631.7

2021년 한국 보건산업 시장 규모는 3,008억 원을 기록했으며, 2022년부터 2032년까지 최소 3조 5553억 원부터 최대 9조 7704억 원 규모로 성장할 것으로 전망했다. 더불어 취업유발효과 3만 2998.4명~9만 683.6명, 생산유발효과의 경우 5조 2099억 원~14조 3174.5억 원, 부가가치유발효과는 3조 978.4억 원~8조 5132.4억 원의 규모가 될 것으로 예상했다.[50)]

식품의약품안전처는 지난 2021년 국내 의약품 시장규모가 코로나19 백신·치료제의 생산·수입실적 규모 증가에 힘입어 7조 111억 원으로 2020년(3조 3,029억원) 대비 112.3% 증가해 최근 5년 중에 가장 높은 증가폭을 보였다. 2000년대 초반으로 돌아가서 글로벌 블록버스터 의약품들의 특허만료는 제네릭 의약품 중심의 국내 의약품 시장의 성장 발판이 된 동시에 기술진입 장벽이 낮은 제네릭 의약품 부문에서의 경쟁과열을 초래했다. 이에 2012년 정부는 국내 제약산업 규제강화를 위해 약가 인하정책을 시행하였으며 이후 국내 의약품 시장의 성장세가 둔화되었다.

이후, 2010년대에 들어서서 내수시장 부진 탈피를 위한 수출판로 확대와 특히 최근 바이오시밀러 수출 증가에 힘입어 2021년 의약품 수출액은 11조 3,642억 원으로 역대 최대치였고, 2020년(9조 9,648억 원)보다는 14.0% 증가한 수준이었으며, 바이오의약품 중심으로 세계 시장에서 품질을 인정받으며 최근 5년간 연평균 25.4%의 높은 성장세를 기록했다. 이러한 수출규모의 급증으로 2021년 의약품 무역수지는 2020년에 이어 2년 연속 흑자를 기록했다.[51)]

48) 세계 바이오의약품 산업 동향 및 전망, 한국수출입은행, 2019.07.22
49) 바이오의약품 국가 미래 신성장동력, 한국 IR 협의회, 2019.07.04
50) 의학신문 '국내 보건의료 데이터산업 2032년 9조 7704억 예상…산·정 집중 육성 필요'
51) KDI경제정보센터 '2021년 의약품 시장규모 역대 최고… 전년 대비 9.6% 증가'

바이오의약품 글로벌 시장규모 및 국산 수출 규모('17년→'26년)

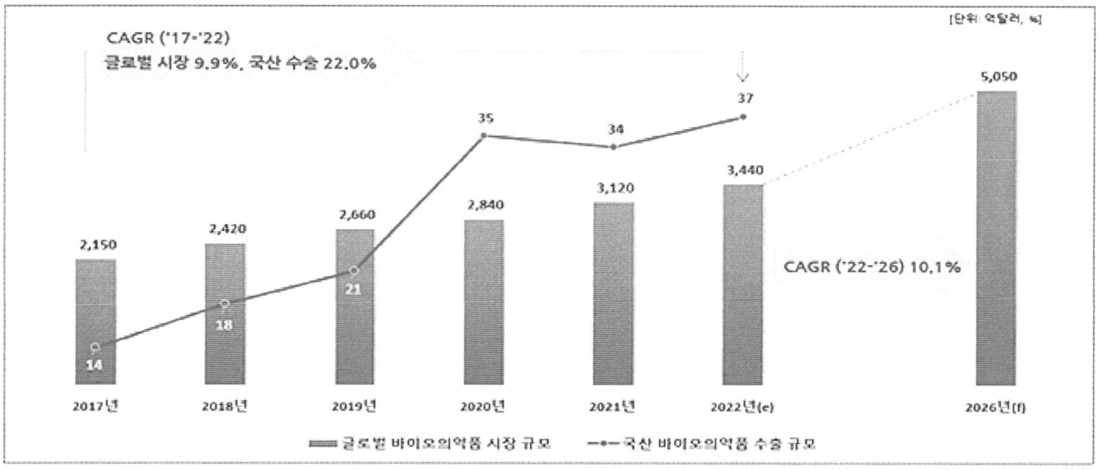

자료: 한국보건산업진흥원 재가공, EvaluatePharma, 한국무역통계진흥원

특히 글로벌 바이오의약품 시장에서 국산 바이오의약품이 지속적으로 성장하고 있다. 글로벌 바이오의약품 시장은 2022년 3440억 달러에서 오는 2026년 5050억 달러로 연평균 10.1%의 높은 성장세를 보이며 확대될 것으로 보인다. 연 평균 성장세를 살펴보면 2017년부터 2022년까지 9.9% 수준으로 성장을 기록했으며 오는 2026년까지 평균 10.1%씩 성장세를 기록할 것으로 전망된다.

국산 바이오의약품 수출은 2017년 14억 달러에서 2022년 37억 달러를 기록해 연 평균 22%씩 증가하는 것으로 분석됐다. 지난 5년 간 글로벌 바이오의약품 시장은 연 평균 9.9%의 성장했는데, 여기서 국산 바이오의약품의 성장세는 연 평균 22%라는 점에서 수출 증가율이 2배 이상 상회하며 향후 지속적인 성장이 기대된다.

가장 눈에 띄는 점은 코로나19 백신과 관련 치료제 수출이 큰 폭의 증가세를 보였지만 2022년 하반기부터 감소세로 돌아섰으며, 바이오의약품(바이오시밀러)은 분기 별 역대 최고 수출실적을 달성했다.

2023년 의약품 지역별 수출 전망

(단위: 백만 달러, %)

품 목		2020년		2021년		2022년(예상)		2023년(전망)	
		금액	증가율	금액	증가율	금액	증가율	금액	증가율
의약품		**6,893**	**36.1**	**7,042**	**2.2**	**8,722**	**23.9**	**10,072**	**15.5**
	북미	941	66.6	1,184	25.8	1,107	-6.5	1,302	17.6
	아시아/퍼시픽	2,045	15.6	2,486	21.6	3,242	30.4	3,707	14.3
	유럽	3,263	49.1	2,647	-18.9	3,406	28.7	3,954	16.1
	중남미	361	14.4	390	8.2	592	51.6	690	16.6
	중동/아프리카	283	23.4	335	18.4	374	11.7	419	12.1

2023년 의약품 품목별 수출 전망

(단위: 백만 달러, %)

품 목		2020년		2021년		2022년(예상)		2023년(전망)	
		금액	증가율	금액	증가율	금액	증가율	금액	증가율
의약품		**6,893**	**36.1**	**7,042**	**2.2**	**8,722**	**23.9**	**10,072**	**15.5**
완제	항병원생물성 의약품	4,194	51.7	4,479	6.8	5,390	20.3	6,407	18.9
완제	치료를 주목적으로 하지 않는 의약품 및 관련제품	1,004	64.0	666	-33.7	2,507	39.4	2,797	11.6
완제	개개의 기관계용 의약품	66	-17.7	58	-11.9	703	5.6	741	5.4
완제	대사성 의약품	24	-9.2	30	23.8	76	29.5	77	1.4
완제	완제 기타주)	13	1.5	11	-13.7	28	-4.4	30	4.8
원료		1,592	1.4	1,798	12.9	18	66.3	21	16.6

주: 신경계 감각기관용, 조직세포의 기능용 의약품 포함

여기서 백신 수출의 경우 2021년 4분기 3억5000만 달러를 기록했고, 2022년 상반기까지 3억2000만 달러를, 3분기까지 1억 달러를 기록했다. 또한 바이오의약품 수출의 경우 2021년 4분기까지 11억 달러를 기록하다가 2022년 1분기 9억4000만 달러, 2분기까지 7억4000만 달러, 3분기까지 11억3000만 달러를 기록해 두드러졌다.

국가 별 수출을 살펴보면 유럽의 경우 34억1000만 달러를 기록해 28.7% 비중을 기록했고, 이어서 아시아/퍼시픽이 32억4000만 달러로 30.4%, 북미는 11억1000만 달러로 6.5% 비중으로 줄었다.

지역별로 2022년 10월까지 누적치를 분석해 보면 유럽은 27억4000만 달러로 29.8%가 늘었고, 아시아/퍼시픽의 경우 26억 달러로 48.8%가 늘었다. 반면 북미는 9억 달러 규모로 7.4% 줄었다.

앞으로의 2023년은 유럽이 40억 달러로 16.1% 성장할 것으로 전망되며, 아시아/퍼

시픽이 37억 달러로 14.3% 성장, 북미가 13억 달러로 17.6% 성장할 것으로 예측됐다. 유럽(터키, 이탈리아, 영국 등) 수출의 경우 바이오시밀러의 긍정적 환경 변화와 국산 바이오시밀러의 시장 확대 등으로 전년 대비 16.1% 증가할 것으로 예상된다.

또한 북미 지역은 미국 FDA 허가 신약 출시와 신규 허가 기대 이슈와 함께 바이오시밀러의 성장 지속, 다소 주춤했던 보툴리눔의 수출 회복 등이 수출 증대에 기여할 것으로 전망된다. 구체적으로는 한미약품이 항암 분야 최초로 지난 9월 FDA 허가를 획득한 롤론티스를 비롯해 유한양행 레이저티닙, 메지온(유데나필), HLB(리보세라닙) 등 국산 신약의 FDA 승인이 기대된다.

품목별로는 주로 바이오의약품, 톡신 등이 포함된 '항병원생물성 의약품'의 수출이 64억 달러로 전년 대비 18.9% 성장해 전체 의약품 수출의 63.6%를 차지할 것으로 전망된다. 블록버스터 오리지널 바이오의약품의 특허만료와 각국의 바이오시밀러 정책 변화, 국산 바이오시밀러 시장 확대, 바이오의약품 생산 능력 확대 등 국내 기업의 수출 호재로 작용할 것으로 예상된다.

다만 큰 증가세를 보인 코로나 백신과 치료제 수출액은 코로나19 엔데믹에 따라 수출 감소가 예상되지만, 변이 발생과 트윈데믹 등 다양한 변수로 인한 수출 변동도 있을 것으로 보인다. 코로나19 백신 글로벌 시장 규모는 2021년에 980억 달러에서 2026년에 820억 달러로 감소할 것으로 예상되며 전체 백신의 경우 연평균 10.2% 증가한 1492억 달러로 예측되고 있다.

보툴리눔 수출은 브라질을 중심으로 남미 지역 증가가 두드러지고 있으며, 중국 시장에서 의료·미용 수요 증가와 봉쇄령 완화에 힘입어 증가가 기대된다.

이 같이 코로나19 이후 우리 보건산업은 급격한 수출 급증 등으로 성장 가능성을 입증하고 있지만 보건산업 관련 전 세계 공급망 재편 과정에서 미국, EU 등은 개발도상국의 무역 불균형에 대응하고, 자국 산업과 일자리 보호를 위한 무역규제를 더욱 강화하고 있다.[52)]

52) 데일리팜 '의약품수출 87억불로 24%↑...항병원생물성이 62% 차지'

바이오의약품 제제별 시장 비율

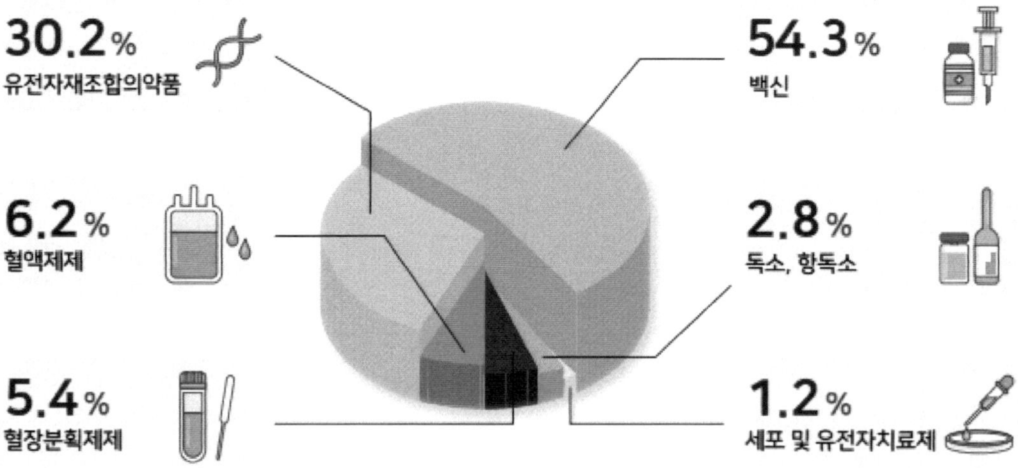

위 그림은 국내 의약품 시장 비율이다. 유전자재조합의약품이 30.2%를 차지했는데 2022년도 41.2% 보다 비중이 줄었다. 반면 코로나19 영향으로 백신 시장 비중이 급격히 커졌다. 2020년 27.3%였던 백신 시장은 2021년 54.3%로 바이오의약품 절반 이상을 차지했다. 이어 혈액제제 6.2%, 혈장분획제제 5.4%, 독소 2.8%, 세포치료제 1.2%로 나타났다.

바이오의약품 시도별 제조소 수

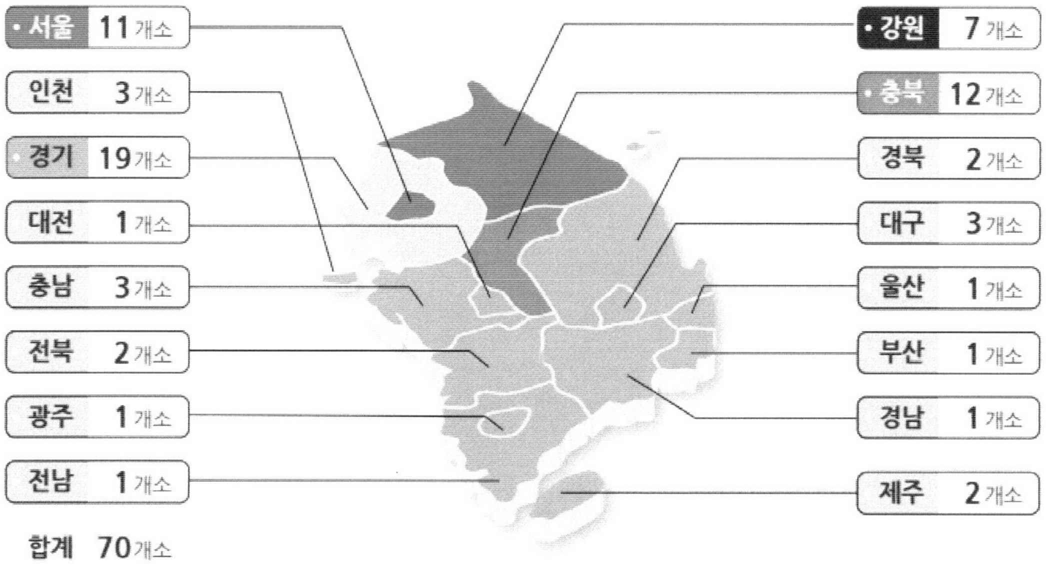

바이오의약품 제조소는 전국 70개소가 있으며 경기도에 가장 많은 19곳이 있었다. 이어 충북에 12개소, 서울 11개소, 강원 7개소 순으로 집계됐다.

바이오의약품 임상시험 승인 현황

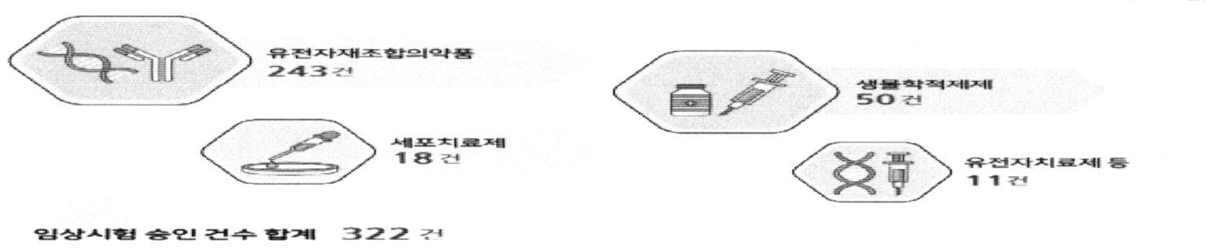

바이오의약품 제제별 허가제품 수 현황

국내 바이오의약품 산업 Key Data 2023

2022년에는 322건의 바이오의약품 임상시험이 승인됐다. 유전자재조합의약품 243건, 생물학적제제 50건, 세포치료제 18건, 유전자치료제 등 11건이다.

임상시험 승인 건수 합계 322 건

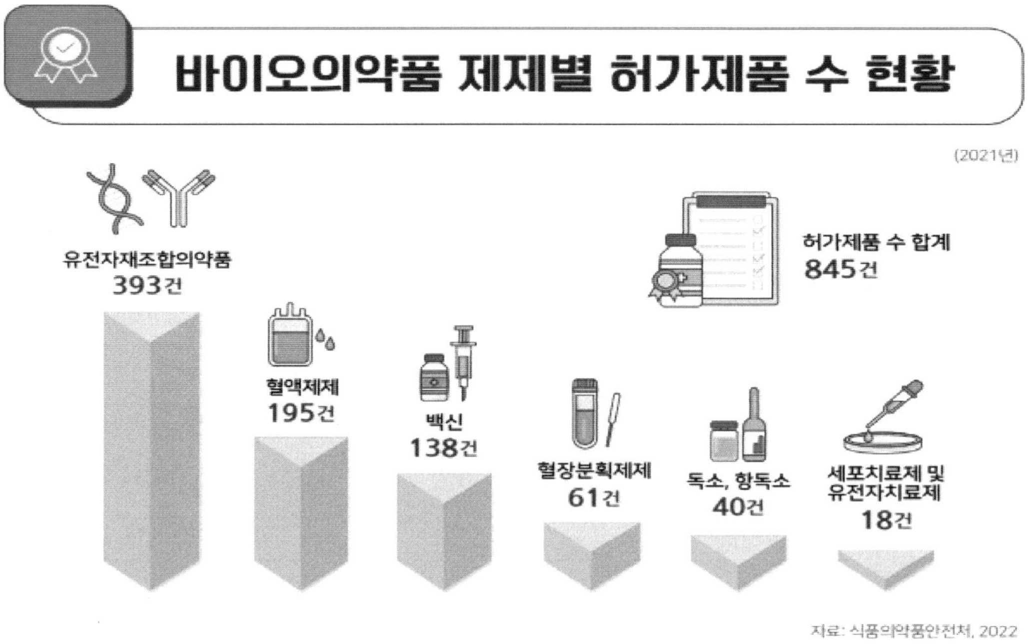

국내 바이오의약품 산업 Key Data 2023

이에 따른 바이오의약품은 총 845개가 허가됐으며, 제제별로 보면 유전자재조합의약품이 393개, 혈액제제 195개, 백신 138개, 혈장분획제제 61개, 독소·항독소 40개, 세포치료제 18개가 허가를 받았다.[53)]

53) HIT NEWS '인포그래픽 | 바이오의약품 7조원... 10년 새 3배 성장'

<table>
<tr><th>기업</th><th>주요사업</th><th colspan="2">주요 제품별 시장 및
판매 허가 현황</th></tr>
<tr><td rowspan="3">셀트리온</td><td rowspan="3">■세계적인 CMO 기업
■재조합 단일클론항체 바이오시밀러 파이프라인에서 가장 영향력 있는 기업(파트너사: 화이자, 니폰가야쿠, 아스펜)</td><td>램시마</td><td>미국, 유럽, 한국, 일본 등 대부분의 국가에서 허가 완료</td></tr>
<tr><td>트룩시마</td><td>유럽, 한국 허가 완료</td></tr>
<tr><td>허쥬마</td><td>유럽 2017년 2월</td></tr>
<tr><td rowspan="2">삼성바이오로직스</td><td rowspan="2">■세계 최대의 바이오시밀러 제조역량을 보유한 CMO 기업
■바이오시밀러 확장을 위해 7.4천억 달러 투자(파트너사: 암젠, 로슈 등)</td><td>SB3(허셉틴 바이오시밀러)</td><td rowspan="2">미국, 유럽</td></tr>
<tr><td>SB8(아바스틴 바이오시밀러)</td></tr>
<tr><td rowspan="3">삼성바이오에피스</td><td rowspan="3">■바이오의약품 연구개발 기업
■2016년 기준 매출액 1억 달러 달성
■IPO 준비 중(파트너사: 바이오젠아이덱, 머크)</td><td>베네팔리</td><td>유럽, 호주, 캐나다 허가 완료</td></tr>
<tr><td>플릭사비</td><td rowspan="2">유럽, 호주, 미국 허가 완료</td></tr>
<tr><td>렌플렉시스</td></tr>
</table>

[표 45] 바이오시밀러 주요 생산기업 현황

한편, 바이오시밀러업계의 가장 큰 고민은 경쟁격화에 따른 약가하락이다. 애브비가 유럽 일부 국가에서 '휴미라'(성분명 아달리무맙) 가격을 종전보다 80% 인하하는 등 예기치 못한 상황까지 더해졌다. 특허로 미국시장을 지키고 유럽에서 바이오시밀러들을 봉쇄해 후발주자들의 추가적인 시장진입을 차단하기 위한 전략이다.

오리지널 의약품 제조사들의 강력한 견제에도 불구하고 바이오시밀러들의 성장을 막기엔 역부족으로 보인다. 공공보험 위주인 유럽에서 바이오시밀러에 대한 인식이 나날이 개선되고 시장도 점차 확장돼서다. 고가의 글로벌 블록버스터 의약품들의 특허도 속속 풀린다. 품목 수만큼이나 시장이 커진다는 의미다.

한국 기업들에 유리한 이유는 자체적으로 대규모 생산시설을 보유했다는 것이다. 주로 위탁생산하는 해외 경쟁사들과 전혀 다른 조건이다. 셀트리온은 현재 송도에 19만 리터급 바이오의약품 생산설비를 보유했다. 서 회장은 2030년까지 국내외에 생산시설을 100만 리터까지 확장하겠다고 선언했다.

삼성바이오에피스는 2대 주주인 바이오젠을 통해 의약품을 생산한다. 앞으로 여건에 따라 최대주주인 삼성바이오로직스에 위탁생산을 맡길 여지도 충분하다. 생산설비 보유 여부가 중요한 이유는 바이오시밀러의 원가경쟁력 때문이다. 설비를 보유하면 위탁생산비용을 마케팅에 투입할 수 있게 된다. 이는 점유율 확대로 이어진다.

바이오시밀러 개발 제약·바이오 기업

회사명	파이프라인	오리지널 의약품	치료질환	개발단계
LG화학	유셉트	엔브렐	자가면역질환	한국 출시
종근당	네스벨	네스프	빈혈	한국허가, 일본허가 신청
동아에스티	DA-3880	네스프	빈혈	일본허가 신청
CJ헬스케어	CJ-40001	네스프	빈혈	국내 임상3상
디엠바이오	DMB-311	허셉틴	유방암	유럽 임상3상 예정
삼천당제약	SCD411	아일리아	황반변성	미국 허가 신청 예정
알테오젠	ALT-L2	허셉틴	유방암	임상 2상
에이프로젠	플릭시진	레미케이드	자가면역질환	일본 출시

그래픽: 유정수 디자인기자

MT 머니투데이

그림 75 바이오시밀러 개발 기업

바이오시밀러는 바이오의약품 복제약인 만큼 출시 전부터 오리지널 의약품과 경쟁이 필연적이다. 특히 특허와 가격경쟁은 바이오시밀러 업체들이 뛰어넘어야 하는 벽이다. 큰 비용을 들여 바이오시밀러를 개발한 상태에서 특허에 막혀 출시를 못 하거나, 적정한 가격에 팔지 못할 경우 타격이 크기 때문이다.

바이오시밀러 업체들은 이처럼 오리지널 의약품 개발사들과 특허 전쟁을 치러야 한다. 오리지널 의약품 개발사들은 바이오시밀러의 시장 진입을 막기 위해 만료된 물질 특허 외에 적응증, 투여방법 특허 등을 등록하는 방식으로 특허 연장 전략을 펼친다.

바이오시밀러 출시 이후에는 가격전쟁이 기다린다. 바이오시밀러는 오리지널 의약품보다 30% 싼 가격을 내세워 시장을 공략한다. 만약 오리지널 의약품 업체가 가격을 내리면 바이오시밀러 업체들도 가격을 내리는 수밖에 없다.

(단위: 만달러, %)

구분	수출	증감률(%)	수입	증감률(%)	무역수지
2017년	136,851	28.6	104,235	14.4	32,616
2018년	155,925	13.9	121,358	16.4	34,567
2019년	128,318	-17.7	133,672	10.1	-5,354
2020년	201,907	57.3	148,766	11.3	53,141
2021년	158,738	-21.4	357,175	140.1	-198,437

표 46 바이오의약품 연도별 수출·수입실적

2021년 국내 바이오의약품 시장의 성장을 주도한 것은 백신으로, 백신의 시장규모는 3조 8,050억 원으로 바이오의약품 시장에서 가장 큰 비중(약 54%)을 차지했으며 2020년보다 322.3% 증가했다. 2020년 시장규모 1위였던 유전자재조합의약품은 코로나19 백신의 신규 진입으로 시장규모가 폭증한 백신에 1위를 내어 주고 2021년에는 2위를 차지했다.

바이오의약품 기업들의 인력, 투자액 등 R&D 투자 역량은 규모적으로 글로벌 기업 대비 절대적으로 부족하고 셀트리온, 녹십자 등 일부 기업들이 생산액과 R&D 투자액의 대부분을 차지하는 양극화된 구조를 보이고 있다.

바이오벤처 등 바이오의약품 R&D에 참여하는 기업의 수, 바이오의약품 파이프라인 비중 및 기술수출 규모가 증가하고 있어 국내 바이오의약품 R&D 역량은 개선되고는 있지만 국내 기업들의 기술 경쟁력은 미흡한 것이 사실이다.

실제 특허분석을 통한 국가별 바이오의약품 기술 경쟁력 분석에서도 우리나라의 기술 경쟁력은 주요 제약 선진국 대비 미흡한 것으로 나타났다.

기술의 질적 수준을 나타내는 특허 영향력 지수(PII)는 세포치료제 0.6(4위), 백신 1.3(6위), 유전자치료제 0.4(6위), 항체의약품 0.6(9위) 순으로 백신을 제외한 나머지 바이오의약품은 기준 값 1 이하로 나타나 기술 수준 열위를 보이는 것으로 드러났다. 또한 기술의 질적·양적 수준을 나타내는 특허 기술력 지수(TS)는 세포치료제 4위(16.6), 유전자치료제 6위(5.4), 항체의약품 9위(202.5), 백신 10위(124.5)로 나타나 국내 바이오의약품은 질적·양적 측면에서 선진국 대비 기술력이 낮은 것으로 집계됐다.

정부도 바이오의약품 R&D 투자를 확대하여 연 매출 1조 원 이상의 'K-바이오 블록버스터'를 육성한다. 이는 유효물질 발굴에서 임상2상까지 신약 파이프라인 개발을 지원하는 2조 2,000억 원 규모의 범부처 사업으로 2030년까지 추진한다.

한편, 현재 바이오의약품 시장은 높은 가격과 항암제 분야에서의 중요성으로 인해 항체의약품이 바이오의약품 전체 매출액의 50% 이상을 차지하고 있으며, 이러한 추세는 향후에도 지속될 것으로 전망된다.

백신은 감염성 질환 증가, 고정적 포트폴리오 등 복합적 요인으로 인해 7.0%의 성장률이 전망되며, 세포치료제와 유전자치료제는 비중은 크지 않지만 가장 높은 시장 성장률을 보일 것으로 예측된다. 글로벌 제약·바이오 기업들의 바이오의약품 R&D도 점차 활발해지고 있으며 항체의약품의 R&D 비중이 크지만 CAR-T 세포치료제, 유전자치료제의 R&D가 빠르게 증가하는 것으로 나타났다.[54)]

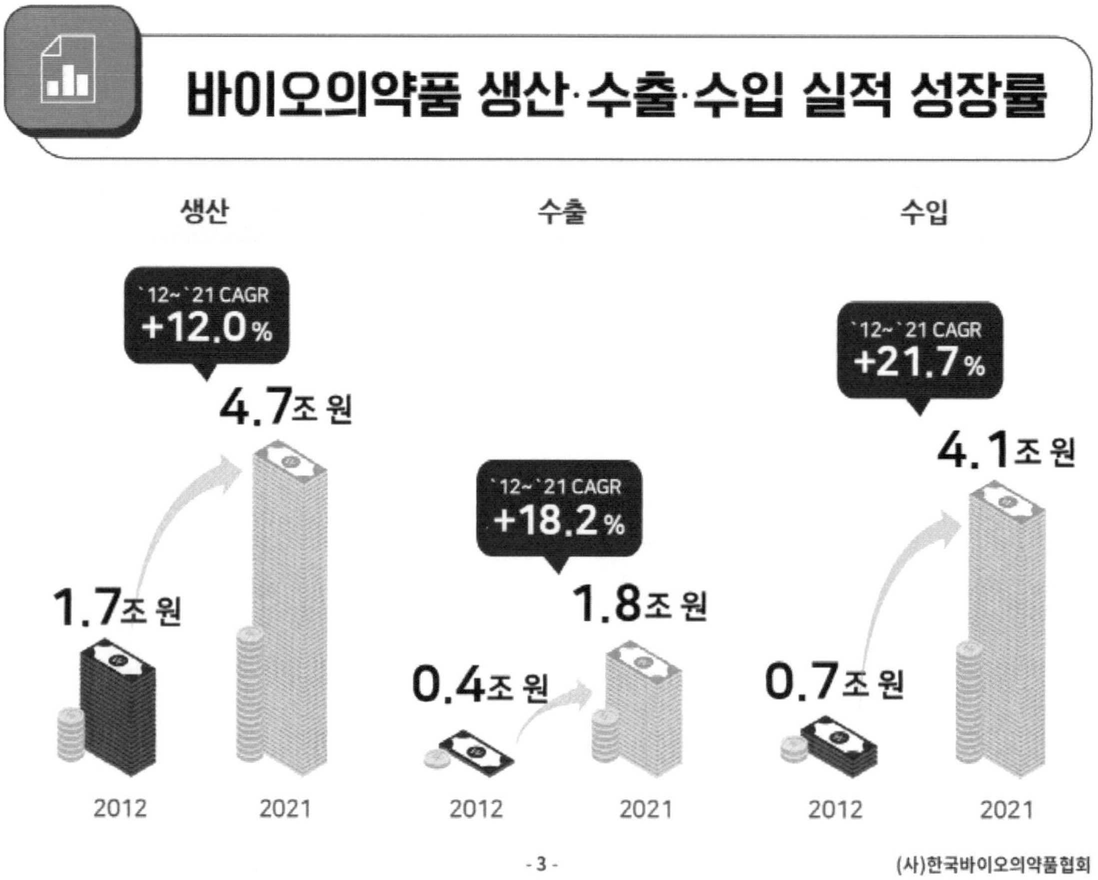

2021년 국내 바이오의약품 시장규모(생산-수출+수입)는 7조 원 규모로 지난 10년간 꾸준히 성장 중인 것으로 보이며 2015년 무역수지 흑자 전환을 시작으로 수출도 증가 추세, 바이오시밀러를 중심으로 수출이 확대되고 있다.

2012년부터 2021년까지 수출은 연평균 18.2% 증가하였으며, 수입은 연평균 21.7% 증가되었다.

54) 국내 바이오의약품, 글로벌 입지 '아직은...'/의학신문

2) M&A 동향

국내 제약기업은 글로벌 기업에 비해 규모가 작고, 자금력 및 기술력에서 열세를 보이고 있다. 국내의 제약 산업은 매출액 대비 연구개발 비중(글로벌 상위기업 기준 약 18%)이 일반 제조업(3.1%)에 비해 높은 기술집약적인 산업이나, 신약개발 성공확률은 5,000분의 1 수준으로 매우 낮아 개발 리스크가 매우 높다.

이러한 신약개발의 High Risk, High Return의 특성으로 인해 글로벌 기업 대비 절대적으로 영세한 규모의 국내 제약기업 대부분은 신약개발 보다는 복제약(제네릭) 위주의 사업을 영위해 왔고, 그로 인해 기술 및 자금 경쟁력 열세가 지속되는 상황이다.

500여 개 이상의 국내 제약사 대부분 영세규모의 중소기업들로 구성되며 2022년 매출액 1조 원 이상을 기록한 제약사는 삼성바이오로직스, 셀트리온, 유한양행, GC녹십자, 종근당, 한미약품, 대웅제약 등 총 7곳이었다.

구분	매출액		
	2022.4Q	2022.4Q 누계	전년비 성장률
삼성바이오로직스	965,527	3,001,295	91.4%
셀트리온	609,700	2,385,400	24.8%
유한양행	450,502	1,775,846	5.2%
GC녹십자	411,512	1,711,312	11.3%
종근당	397,057	1,488,344	10.8%
한미약품	351,346	1,331,721	10.7%
대웅제약	293,849	1,161,254	10.1%
HK이노엔	216,300	846,521	10.0%
보령	191,607	722,056	21.5%
일동제약	151,443	635,809	13.7%
동아에스티	163,841	635,840	7.7%

표 47 국내 주요 제약바이오사 2022년 1~4분기 실적 (단위: 백만 원, %)

특히 팬데믹 기간 동안 '코로나19 특수'를 누리며 비약적으로 성장한 바이오 기업들의 실적은 이번에도 돋보였다. 세포 및 유전차 치료제를 비롯해 다양한 바이오 의약품을 위탁개발생산하는 CDMO 전문기업인 삼성바이오로직스는 업계 최초로 연간 매출 3조원을 돌파하는 사상 최대 실적을 기록했다.

삼성바이오로직스는 2022년 연결 기준 매출액 3조 13억 원, 영업이익 9836억 원을 기록했으며 이는 각각 전년 동기 대비 91.4%, 83.1% 늘어난 수치다. 회사의 누적 수주 건수는 CMO 74건, CDO 101건이며 전체 누적 수주액은 95억 달러 규모다.

다만 여기에는 '숨은 일인자'가 있다. 삼성바이오로직스 자체의 실적만으로도 이미 상당한 수준의 매출액을 달성하고 있으나, 2022년 4월 100% 자회사로 편입된 삼성바이오에피스의 실적이 합쳐지면서 이처럼 괄목할 만한 성적이 나온 것이다.

삼성바이오로직스는 "2022년 글로벌 인플레이션과 미 연준의 긴축 정책 등으로 전세계 경제 위기에도 불구하고 선제적인 투자와 사업 포트폴리오 강화를 통해 글로벌 '탑' 바이오 기업으로의 도약을 본격화했다"라며 "향후 10년간 바이오 사업에 7조 5천억을 투자해 생산능력·포트폴리오·지리적 거점이라는 '3대 축'을 중심으로 성장을 이어 나갈 것"이라고 밝혔다.

제약사들 역시 대다수의 업체가 두 자릿수의 매출 성장세를 기록하며 준수한 성적표를 받았다. 감기약을 비롯한 전문의약품들과 만성질환 치료제 등 주력 부문에서의 호실적이 이 같은 성장세를 견인한 것으로 풀이된다.[55)]

또한, 국내 제약·바이오 기업들 역시 연구개발에 자금 투자를 아끼지 않는 모습을 보이고 있다. 국내 '빅 5(Big 5)' 제약사인 대웅제약, 녹십자, 유한양행, 한미약품, 종근당 등 모두 2022년 3분기 만에 누적 연구개발비가 1000억 원을 넘어섰으며, 지속적인 증가세를 유지하고 있다. 연구개발 투자 확대를 발판으로 우리 제약 산업은 2022년 기준으로 총 36건의 국산 신약 개발에 성공했으며, 세계적인 수준의 임상시험 역량을 확보하며 글로벌 선진시장에 진출하는 등 가시적인 성과를 도출했다.[56)]

최근 코로나19 팬데믹으로 제약바이오산업이 각광을 받으면서 자본력을 갖춘 대기업들의 진출이 잇따랐다. 팬데믹을 지나 엔데믹에 접어들었으나 산업 특성상 아직은 터를 다지는 초기 단계에 머물러 있는 것으로 나타났다.

제약바이오업계에 따르면 롯데바이오로직스, CJ바이오사이언스, 오리온바이오로직스 등은 지주사의 막강한 투자금을 기반으로 공장 착공·인수, 인력 확보 등 기반 다지기에 돌입했다.[57)]

55) 팜뉴스 '주요 제약바이오사, 지난해 '눈부신 성장' 기록'
56) 세계일보 '제약·바이오 R&D 투자 1000억 시대…대웅제약, R&D 중심 신약 개발 기업으로 업계 선도'
57) MEDI:GATE NEWS '롯데·CJ·오리온·GS 등 대기업 바이오 진출 '러시'…아직은 밑그림 단계'

지주사	제약바이오 기업명	사업 추진 현황
롯데	롯데바이오로직스	바이오CDMO집중, 미국BMS공장인력 인수, 국내 송동공장 착공, 삼바 등 대규모 인력이동중
	롯데헬스케어	맞춤형 건강관리 솔루션 '캐즐/건기식 디스펜서 필키' 등 2023년 8월 출시
CJ	CJ바이오사이언스	마이크로바이옴 치료제 포커싱, 면역항암제제 1/2상 IND 승인
오리온	오리온바이오로직스	치과질환 치료제 기업과 오리온바이오로직스 설립, 중국 합작법인 백신 제조 산둥루캉하오리요우 신설
OCI	부광약품(최대 주주 공동경영)	전통제약사에서 R&D확대로 글로벌 제약 바이오 회사로 성장 집중
현대중공업	암크(AMC)바이오	울산의대 서울아산병원과 산학연병 신약개발 추진
GS그룹	휴젤(최대 주주)	휴젤인수, 메디트 인수검토, 싱가포르 바이오기업 mRNA백신 개발 투자

표 48 국내 대기업 바이오 진출 현황

한편 2023년부터 국내 기업공개(IPO)가 난항을 겪는 등 제약바이오산업의 투자 성장세가 꺾이면서 기존과 다른 방식의 투자 확보 전략을 찾아나서는 기업이 늘고 있다. 현재 국내에서 해법으로 떠오르고 있는 것은 미국에서 활발하게 이뤄지고 있는 인수합병(M&A)이지만 기존의 IPO에 맞춰진 기업 성장 전략과 인식 등 현장에서 느끼는 간극을 좁히지 않는 다면 M&A 활성화까지는 시간이 소요될 것이라는 게 전문가들의 시각이다.

한국벤처캐피탈협회가 발표한 2022년 2분기 투자 현황을 살펴보면 전체 신규투자 비중에서 바이오 의료 분야는 2023년 상반기 16.9%를 차지했다. 이는 지난 2020년의 바이오의료 투자비용인 27.8%와 비교했을 때 큰 폭으로 감소한 수치로 지난 해 21.8%와 비교해도 약 5% 줄어든 상황이다.

비용적으로 봤을 때는 비중의 감소와 별개로 2020년 1조2970억 원 2021년 1조6770억 등으로 투자금액의 볼륨은 상승하고 있는 모습이지만 2023년 상반기 6758억 원에 하반기도 같은 수준을 유지한다는 전제하 전체 투자비용은 2022년의 절반에도 못 미쳐 성장세가 꺾일 것으로 전망된다.

특히, 이러한 투자 감소기조와 맞물려 IPO 시장에서도 탈출구를 마련하지 못하는 점도 바이오기업들의 우려사항이다. 2022년 역대급으로 많은 바이오기업이 IPO시장의 문을 두드렸다는 점을 고려해야 된다는 게 전문가들의 시각이지만 바이오기업의 IPO 시도 자체가 줄지 않았다는 점을 봤을 때 시장문턱이 높아진 것도 사실이다.

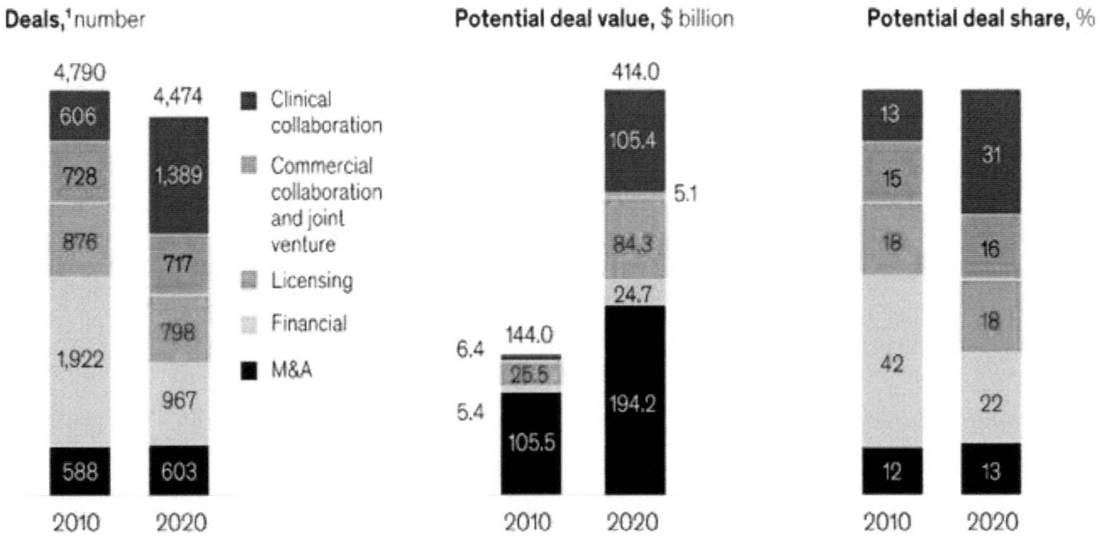

그림 77 M&A활동은 줄었지만 프리미엄은 증가한 수치를 보이고 있음

2022년까지 많은 바이오분야에 많은 투자가 이뤄진 만큼 M&A를 위해 기업의 가치를 낮추는 부분에 시간과 투자자들의 동의가 필요해 실직적인 움직임으로 이어질지는 알 수 없다는 게 업계의 시각이다.

CAR-T 치료제를 개발 중인 바이오사 B대표는 "가장 중요한 이슈는 가격 문제가 될 수밖에 없고 시리즈 C까지 갔던 업체들은 M&A 가격을 맞추는 것도 쉽지 않다"며 "다른 시각에서는 창업자들이 연구를 통해서 창업을 이어졌기 때문에 아직까지 내 연구기반을 소위 시집보내는 게 쉽지 않다는 인식도 영향이 있어 보인다."고 밝혔다.

결국 M&A를 위해서는 복합적인 요소가 고려될 수밖에 없다는 것. 한국바이오협회 이승규 부회장은 현재 투자시장의 어려움이 긍정적인 요소와 부정적인 요소가 있을 것으로 예상했다.

이 부회장은 "기업가치와 관련된 부분을 냉정하게 볼 수 있는 시간이 왔다는 점에서는 긍정적인 요소라고 본다."며 "미국은 IPO가 줄고 M&A늘어나는 상황에 따라 생물처럼 움직이는데 국내도 케이스가 적지만 인식변화들이 이뤄지는 기회가 될 것"이라고 전했다.

이어 이 부회장은 "산업이 발전을 할 때는 여러 단계가 있고 국내는 기술이전 성과가 나오고 신약이 하나씩 나오는 단계에 와있다"며 "시간적, 경험적인 부분이 필요할 것으로 보고 각각의 플레이어들의 의식하고 끌고 가준다면 향후 선순환적인 시스템이 만들어질 수 잇을 것으로 본다."고 덧붙였다.[58)]

지씨셀	리바라(인도)	이뮨셀엘씨(면역항암제)	비공개
에이비엘바이오	사노피(프랑스)	ABL301(퇴행성뇌질환)	1조2720억 원 (10억6000만 달러)
종근당바이오	큐티아테라퓨틱스(중국)	Tyemvers(보툴리눔 톡신)	83억 원 (700만 달러)
이수앱지스	NPO페트로박스팜(러시아)	파바갈(파브리병)	비공개
노벨티노빌리티	발렌자바이오(미국)	NN2802(자가면역질환)	8778억 원 (7억3325만 달러)
제넥신	KGBIO(인도네시아)	GX-E4(지속형 빈혈)	159억 원 (1300만 달러)
코오롱생명과학	주니퍼바이오로직스(싱가포르)	TG-C(골관절염)	7234억 원 (5억8718만 달러)
SK바이오팜	유로파마(브라질)	세노바메이트(뇌전증)	810억 원 (6200만 달러)
티움바이오	한소제약(중국)	TU2670(자궁내막증)	2208억 원 (1만7000만 달러)
보로노이	메티스테라퓨틱스(미국)	고형암치료신약 후보물질	6680억 원 (4만8220만 달러)
동아에스티	뉴로보파마슈티컬(미국)	당뇨 및 NASH(DA-1241), 비만 및 NASH(DA-1726)	4715억 원 (3만3800만 달러)
올리패스	반다제약(미국)	OliPass PNA플랫폼 (희귀질환/면역항암제)	43억 원 (300만 달러)
동아에스티	폴리파마(튀르키예)	DA-3880(다베포이틴 알파) (빈혈치료제)	비공개
LG화학	이노벤트바이오로직스(중국)	티굴릭소스타트(통풍치료제)	1240억 원 (9550만 달러)
레고켐바이오	암젠(미국)	ADC플랫폼(5개 질환 타깃)	1조6050억 원 (12억4750만 달러)

The Yakup 약업신문

그림 78 2022년 결산 제약 바이오 기술수출 건수

한국제약바이오협회에 따르면 2022년 제약바이오 기업 기술수출은 15건으로 지난 2021년 34건 대비 44.11%로 반 토막도 못 미치는 수준으로 나타났다. 기술거래 규모는 비공개를 제외하고 총 6조723억 원 규모로 집계됐다. 2021년 기술거래 규모는 비공개 제외, 13조3689억 원 규모로, 이 역시도 약 65% 감소한 수준이다.

58) MedicalTimes '바이오 기업 탈출구 떠오른 M&A…실전에선 허들 가득'

2022년 기술거래 중 가장 큰 규모의 계약을 체결한 기업은 레고켐바이오로 나타났다. 레고켐바이오는 암젠과 1조6050억 원 규모의 ADC(항체약물접합체)플랫폼 기술이전 계약을 체결했다. 이를 통해 2022년에 1조 원 이상 빅딜은 2건이 됐다.

ADC는 '항체(Antibody)'와 '세포독성 항암화학 약물(Cytotoxic Chemo Payload)', 이 둘을 접합하는 '링커(Linker)'까지 세 가지 물질을 하나로 결합시키는 기술을 말한다. ADC 기술을 이용하면 항체가 정상세포에 약물 작용을 나타내는 것을 저해해, 치료지수를 높일 수 있다. 즉, 강력한 항암효과를 내면서 정상세포 손상은 최소화할 수 있다.

두 번째로 큰 규모 기술거래는 에이비엘바이오와 사노피의 계약으로, 양사는 퇴행성 퇴질환 항체치료제 'ABL301'에 대해 1조2720억 원 규모의 기술이전 계약을 체결했다. ABL301은 에이비엘바이오의 '그랩바디-B(Grabody-B)' 플랫폼 기술 적용으로 파킨슨병의 발병 원인인 알파-시뉴클레인(alpha-synuclein)의 축적을 억제하는 항체를 뇌 안으로 효과적으로 전달해 치료 효과를 높인 이중항체 후보물질이다. 해당 파이프라인은 미국에서 글로벌 임상 1상을 준비하고 있다.

세 번째는 노벨티노빌리티와 발렌자바이오의 계약이었다. 노벨티노빌리티는 자가면역질환 치료제 'NN2802'에 대해 8778억 원 규모 계약을 체결했다. NN2802는 비만세포(mast cell)에 의해 유발된 자가면역 질환 치료에 사용될 수 있는 항-c-KIT 항체 기반의 best-in-class 치료제 후보물질이다.

이어 코오롱생명과학과 주니퍼바이오로직스의 7234억 원 규모 계약, 보로노이와 메티스테라퓨틱스의 6680억 원 규모 계약, 동아에스티와 뉴로보파마슈티컬의 4715억 원 규모 계약, 티움바이오와 한소제약의 2208억 원 규모 계약, LG화학과 이노벤트바이오로직스의 1243억 원 규모 계약 순으로 8건이 1000억 원 이상 계약으로 나타났다.

지난 2021년에는 1000억 원 규모 기술거래는 23건으로, 2022년 약 66%가량 감소했다. 2021년에 1조 원 이상 빅딜은 5건이었고, 2조 원 이상 거래도 1건 있었다.[59)]

59) 약업신문 '[2022 결산] 제약바이오 기술수출 반토막'

라. 해외시장[60]

1) 규모 및 전망

글로벌 의약품 시장은 2026년까지 3~6%의 연평균 성장률(CAGR)을 보이며 총 시장 규모(송장 기준, 할인 및 리베이트 제외) 약 1조 8000억 달러(약 2150조 원)에 이를 것으로 전망되는 가운데, 미국은 0~3% 수준의 성장률로 역사상 가장 느린 성장을 보일 것이라는 분석이 나왔다.

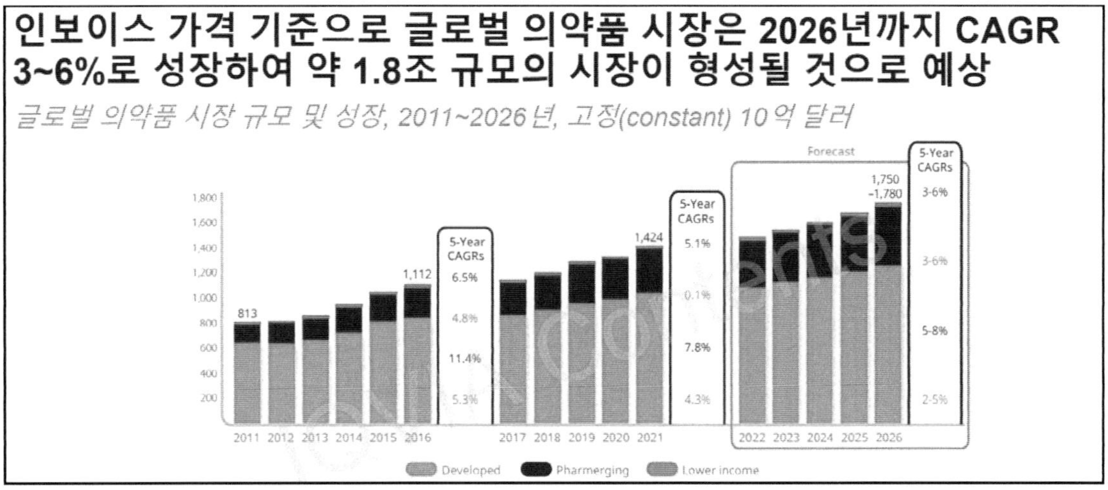

아이큐비아 데이터에 따르면, 글로벌 의약품 시장은 2026년까지 3~6% CAGR로 성장해 총 시장 규모가 약 1조 8000억 달러(약 2150조 원)에 이를 것으로 전망되며, 10개 선진국(미국, 독일, 일본, 프랑스, 영국, 이탈리아, 스페인, 캐나다, 한국, 호주)을 살펴볼 때, 2020년 시장 매출 경향은 다양한 형태로 나타났다. 독일과 호주를 제외하고는 2020년 팬데믹의 영향으로 의약품 시장 성장세가 하락세를 보였으나, 2021년을 기점으로 다시 성장세를 보일 것이라고 분석했다.

다만, 일본은 2020년 격년으로 진행된 약가 인하와 팬데믹의 영향이 동시에 큰 영향을 주면서 2026년까지 -2~1%의 성장률을 유지할 것으로 전망됐다

미국 의약품 시장은 지난 5년(2017년~2021년)간 3.5%의 성장률을 보였으나, 2022년부터 5년 간 CAGR 0~3%로 성장 둔화가 나타날 것으로 보인다. 미국의 건강보험 환경은 정부에 대한 법정 할인 및 리베이트, 처방의료비 보험관리업무를 대행하는 PBM(Pharmacy Benefit Managers) 및 보험사가 협상한 리베이트, 구매자가 협상한 할인 등 송장 가격(Invoice Price)외에 가격에 영향을 주는 다양한 이해관계자가 존

60) 세계 바이오의약품 산업 동향 및 전망, 한국수출입은행, 2019.07.22

재한다. 리베이트는 이해관계자 간 계약에 따른 할인 또는 환불금을 뜻한다.

이러한 미국의 건강보험 환경에 영향을 미치는 법률이 지속적으로 등장하고 있으며 새로운 치료법 채택, 제네릭 및 바이오시밀러 등장 등 추가 요인으로 역사상 가장 느린 성장률을 보일 것이라는 분석이다.

유럽에서의 지출은 새로운 브랜드에 힘입어 2026년까지 510억 달러 증가할 것으로 관측

프랑스, 독일, 이탈리아, 스페인, 영국의 지출 및 성장 원동력, 2016~2026년, 고정 10억 달러

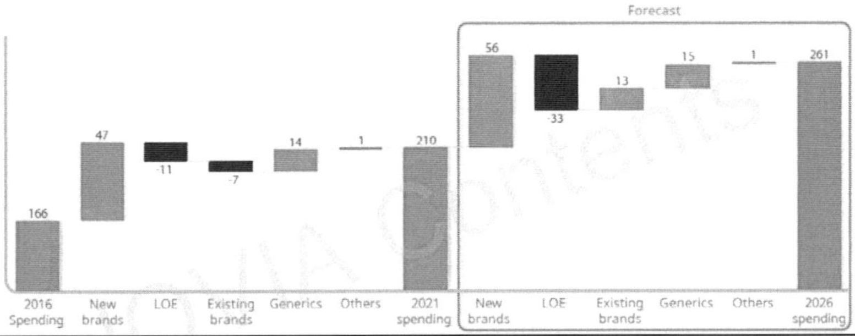

반면, 상위 5개 유럽 시장 프랑스, 독일, 이탈리아, 스페인, 영국)의 의약품 매출은 과거 5년간 440억 달러(약 52조 5400억 원) 증가한 것에 비해, 향후 5년 간 510억 달러(60조 8900억 원)가 증가해 약 70억 달러 규모 추가 성장할 것으로 보인다.

이러한 성장 원동력은 과거와 큰 변화가 있을 것이라는 분석이다. 신약 출시가 과거 5년간 의약품 시장 규모 성장의 주요 원동력이었지만, 향후 5년간은 팬데믹으로 인해 마케팅 운영 및 약가 책정에 적지 않은 영향을 받아 경향이 바뀔 것이라는 것이다.

이에, 기존에 출시된 제품이 시장 가치를 더욱 입증하고 약가 협상을 통해 더욱 규모를 성장하는 경향이 나타날 것이라는 전망됐다.[61]

국내에서 국가생명공학정책연구센터가 최근 발간한 '글로벌 바이오제약산업 2022 프리뷰 및 2028 전망' 보고서에 따르면, 글로벌 처방의약품 매출액은 2022년 1조 1390억 달러(약 1623조 원)에서 연평균 6%씩 성장해 2028년 1조 6120억 달러(약 2297조 원)에 달할 것으로 나타났다.

글로벌 바이오제약 기업들의 매출액 순위는 향후 블록버스터 특허만료 및 신약개발 허가 여부에 따라 변동될 것으로 예측되고 있다. 그 중 로슈는 2028년 처방의약품 매출이 가장 큰 바이오제약 기업이 될 것으로 예상됐다.

---

61) HIT NEWS '미국 의약품 시장, 향후 5년간 가장 더딘 성장 예측'

스위스 다국적제약사 로슈(Roche)가 알츠하이머 치료제 개발에 성공할 경우 오는 2028년 글로벌 처방의약품 매출 1위 기업이 될 것이라는 전망이 나왔기 때문이다. 인수 및 알츠하이머 치료제 간테네루맙(gantenerumab)의 임상 3상 결과에 따라 회사 전망은 크게 달라질 것으로 보인다.

로슈는 상위 10개 글로벌 제약사 중 연구개발(R&D)에 가장 많은 비용을 투자하고 있는 기업이다. 국가신약개발사업단에 따르면, 로슈는 2020년에 이어 2021년에도 제약 R&D에 가장 많은 비용을 투자했다. 2021년 R&D 비용으로만 2020년보다 14% 증가한 161억 달러(약 22조 9505억)를 투자했다.

또한 2021년에만 FDA 승인 6건과 중국, 유럽 및 일본 전역에서 27건의 주요 승인을 확보했으며 2022년 1월에는 습성 연령 관련 황반변성(nAMD)과 당뇨병성 황반부종(DME) 치료제인 바비스모(Vabysmo)의 FDA 승인을 획득하며 최근 몇 년간 이어지고 있는 적극적인 R&D투자에 대한 성과를 보이고 있다.

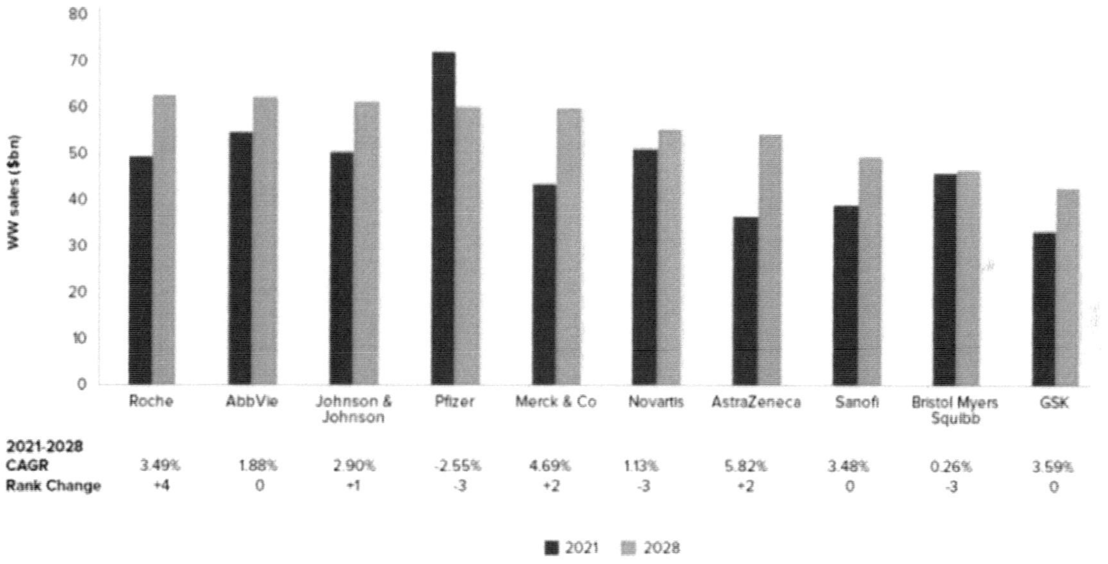

출처 : Evaluate Pharma, World Preview 2022 Outlook to 2028, 2022.10.8.

그림 81 2028년 전 세계 처방의약품 매출 상위 10대 기업 전망

미국 다국적제약사 애브비(Abbvie)는 2023년부터 자가 면역질환 치료제 블록버스터 휴미라(Humira)의 특허가 완료됨에도 불구하고 2028년 세계에서 두 번째로 매출이 높은 바이오 기업이 될 것으로 전망됐다.

류마티스 관절염 치료제로 승인된 린버크(Rinvoq)의 적응증 확대와 건선치료제 스카이리치(Skyrizi), 백혈병 치료제 벤클렉스타(Venclexta) 등 후속제품 출시로 매출 감소 상쇄가 예상되기 때문이다.

글로벌 10대 제약사 중 화이자(Pfizer)와 노바티스(Novartis), BMS(Bristol Myers Sqiubb)는 2028년까지 순위가 하락할 것으로 전망된다. 화이자 매출 감소는 코로나 19 제품의 매출 감소에 따른 것이며 BMS는 자사 제품의 특허만료에 따라 매출 감소가 예상된다.

국가생명공학정책연구센터 김무웅 연구원은 "2028년 전 세계에서 가장 많이 팔릴 의약품은 MSD의 면역항암제 키트루다(Keytruda)로 매출액 300억 달러(약 42조 7650억 원)를 돌파할 것으로 전망된다."며 "이어 BMS의 항암제 옵디보(Opdivo)가 매출 2위로 전망되는 등 면역항암제가 매출 성장에 크게 기여할 것"이라고 예상했다.

이어 사노피의 아토피 치료제 듀피젠트(Dupixent), 존슨앤존슨의 다발성골수종 치료제 다잘렉스(Darzalex), 노보 노디스크의 제2형 당뇨병 치료제 오젬픽(Ozempic), 길리어드의 HIV 치료제 빅타비(Biktarvy), 애브비의 스카이리치(Skyrizi) 순으로 많이 팔릴 것으로 전망됐다.[62)]

의약품은 제조방식에 따라 합성의약품과 바이오의약품으로 분류되는데, 최근 생명공학기술 발전에 힘입어 바이오의약품 시장이 급증하고 있다. 합성의약품은 화학합성에 의해 제조하는 의약품으로서 일반적으로 복용하는 고혈압약, 진통제 등의 약들이 합성의약품에 속한다.

바이오의약품은 생물공학 기술(유전자재조합 기술, 세포배양 기술 등)을 이용하여 사람이나 다른 생물체에서 유래된 것(단백질)을 원료 및 재료로 해서 만든 의약품으로, 바이오의약품은 합성의약품 대비 독성이 낮아 부작용이 적고, 표적 장기에 직접적 효능을 발휘하여 우수한 효과를 내고 있다.

최근 합성신약 성공빈도가 낮아져 R&D 투자 효율성이 낮아지고 있는 반면 바이오의약품은 생명공학기술 발전 등으로 성공확률이 높아 제약업체들의 바이오의약품 사업에 대한 관심이 증가하고 있지만 2022기준 미국 FDA 허가 신약은 37개로 6년 만에 최저치를 기록했다. 37개 허가 신약을 세분화해 보면 저분자신약이 21개, 바이오신약이 15개, 올리고뉴클레오타이드가 1개로 올리고뉴클레오타이드는 1개의 siRNA(small interfering RNA)치료제이다.

62) 헬스코리아뉴스 '2028년 글로벌 처방약 1위 제약사는? ... 바이오제약 기업 순위변동'

아울러 바이오신약은 6개의 단일클론항체(mAb), 4개의 이중특이항체(Bi-specific), 2개의 효소치료제, 1개의 항체-약물 접합체(ADC), 융합단백질 및 기타로 분류된 의약품 각각 1개 등 총 15개로 2018년 이후 가장 높은 수치를 기록했다.

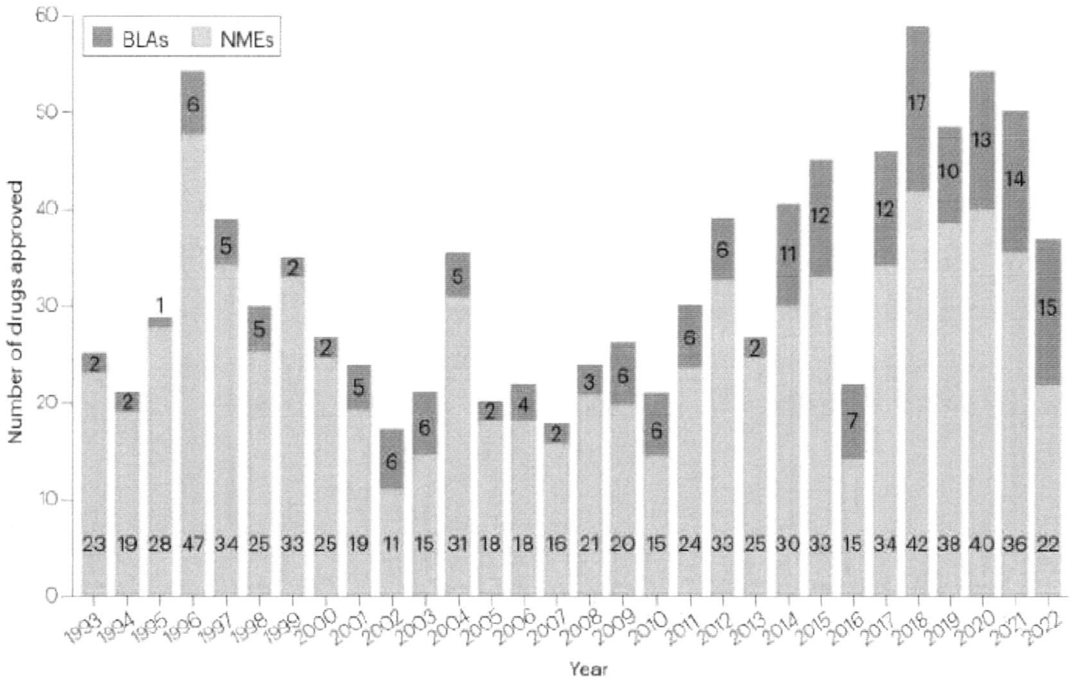

그림 82 연도별 FDA신약 허가 현황
*2022년에는 [신물질신약(NME) 22개, 바이오신약(BLA) 15개] 허가됨

바이오의약품 제제별로는 생물학적 제제, 유전자재조합의약품, 세포배양의약품, 세포치료제, 유전자치료제 등으로 구별된다. 생물학적제제란 생물체에서 유래된 물질이나 생물체를 이용하여 생성시킨 물질을 함유한 의약품으로서 각종 백신, 혈액제제 및 항독소 등을 의미하고, 유전자재조합의약품은 유전자 조작 등으로 개발한 미생물 배양을 통해 필요한 단백질을 생산해 만드는 단백질 치료제 일종으로 인슐린, 성장 호르몬, 인터페론 등이 주를 이루고 있다.

세포배양의약품은 세포주를 이용하여 인공 항체를 만들어내는 항체치료제가 이에 속하며, 현재 5대 바이오신약 중 3개가 항체의약품으로 세계 바이오의약품 시장에서 큰 비중을 차지하고 있다.

재생의약품인 세포치료제와 유전자치료제는 3세대 바이오의약품으로 주목받고 있는바 보다 근원적인 치료가 가능한 약제이며, 암, 신경퇴행성 질환, 유전질환 등 난치성 질환 치료 목적으로 개발 중에 있다.

세포치료제는 살아있는 자가, 동종, 이종 세포를 체외에서 배양·증식 하거나 선별하는 등 물리적·화학적·생물학적 방법으로 조작하여 제조하는 의약품으로 체세포치료제, 줄기세포치료제가 속한다.

유전자치료제는 질병치료 등을 목적으로 '유전물질 발현에 영향을 주기 위하여 투여하는 유전물질' 또는 '유전물질이 변형되거나 도입된 세포' 중 어느 하나를 함유한 의약품이다.

세포치료제, 유전자치료제 개발 초기에 체내 주입에 따른 부작용, 체내에서의 효과 미흡, 생명윤리와 관련된 이슈들 등 상용화 과정에서 여러 어려움을 겪었으나 최근 세포 배양·조작기술, 유전자 분석·조작 기술 등의 발전으로 기술적 난제들이 해결되고 있으며, 미국 FDA나 유럽 EMA에서 일부 제품들이 허가되며 시장이 확대되고 있다.

다만 세포·유전자 치료제 가격이 매우 고가[63]여서 환자 접근성이 떨어져 건강보험 적용 시 추가적인 재정 부담에 대한 우려도 존재한다.

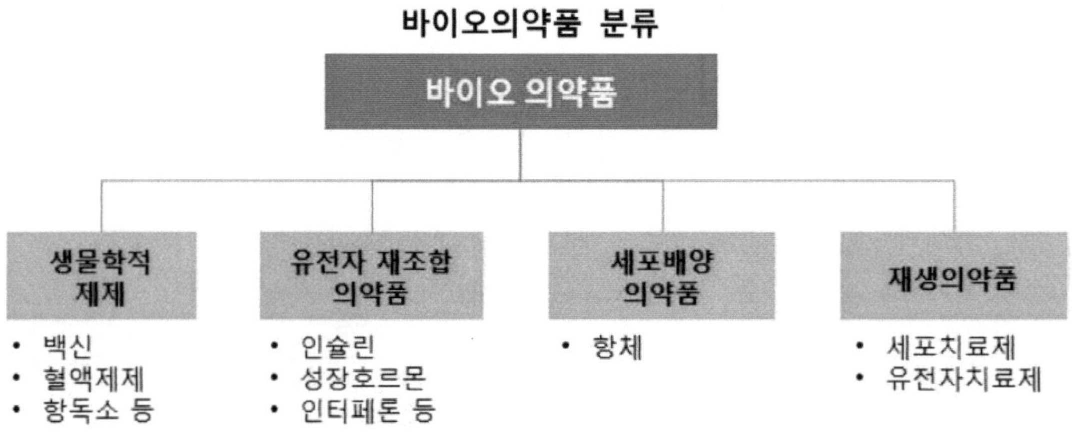

[그림 83] 바이오 의약품의 분류

63) 2017년 12월 FDA 허가를 받은 Spark Therapeutics(스파크 테라퓨틱스)의 유전자 치료제 Luxturna(유전적 망막변성 치료제)는 안구 1개당 42.5만 달러씩 책정한 바 있으며, 2019년 5월 Novartis(노바티스)의 척수성 근위축증(Spinal Muscular Atrophy, SMA) 유전자치료제 Zolgensma(졸겐스마)는 210만 달러로 책정하여 현재 가장 비싼 치료제로 등극함

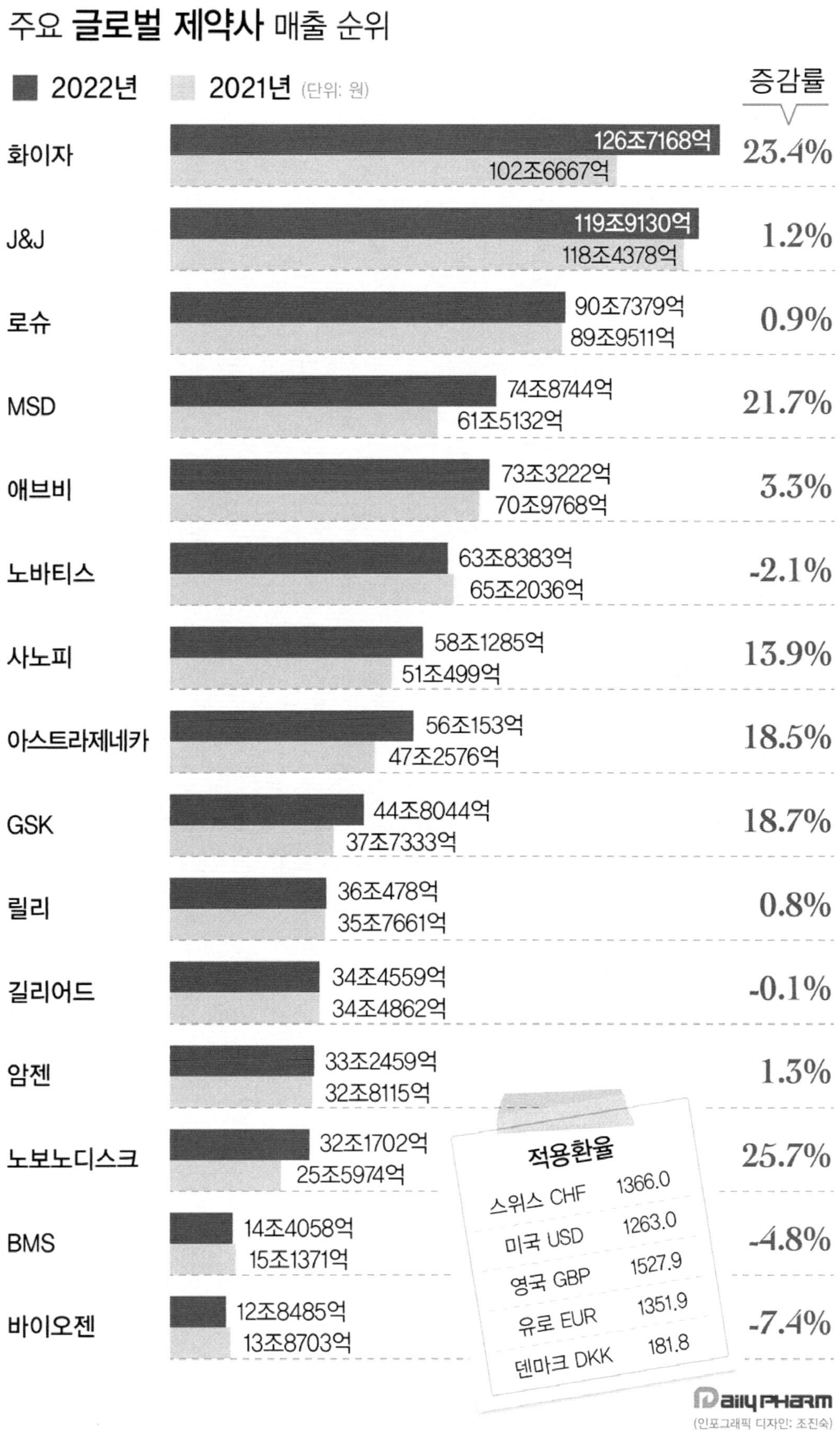
주요 글로벌 제약사 매출 순위
2022년
2021년 (단위: 원)
증감률
화이자
126조7168억
102조6667억
23.4%
J&J
119조9130억
118조4378억
1.2%
로슈
90조7379억
89조9511억
0.9%
MSD
74조8744억
61조5132억
21.7%
애브비
73조3222억
70조9768억
3.3%
노바티스
63조8383억
65조2036억
-2.1%
사노피
58조1285억
51조499억
13.9%
아스트라제네카
56조153억
47조2576억
18.5%
GSK
44조8044억
37조7333억
18.7%
릴리
36조478억
35조7661억
0.8%
길리어드
34조4559억
34조4862억
-0.1%
암젠
33조2459억
32조8115억
1.3%
노보노디스크
32조1702억
25조5974억
25.7%
BMS
14조4058억
15조1371억
-4.8%
바이오젠
12조8485억
13조8703억
-7.4%
적용환율
스위스 CHF 1366.0
미국 USD 1263.0
영국 GBP 1527.9
유로 EUR 1351.9
덴마크 DKK 181.8
Daily PHARM
(인포그래픽 디자인: 조진숙)

최근 코로나19로 인하여 전 세계적으로 제약 산업은 매출 하락이라는 악재를 겪었고 수백 건의 임상시험이 보류되고 시험 판독이 지연되는가 하면, 국가 간의 이동에 제한이 생기며 M&A 협상이 중지되는 등 여러 문제가 발생하기도 했다.

코로나19 대유행으로 가장 큰 영향을 받는 분야는 병원 내 의사로부터 투여 받는 약물과 만성질환 치료제이다. 이러한 의약품은 제약사 매출의 3분의 2를 차지하고 있으며 사회적 거리두기와 봉쇄 조치 등으로 인해 환자들의 병원 접근이 어려워지면서 수술 횟수가 감소하는 등 영향을 크게 받을 수밖에 없었다.

실제로 2022년 화이자가 매출 127조원으로 글로벌 제약사 중 가장 많은 매출을 냈다. 노보노디스크, 화이자, MSD는 20% 이상 성장한 반면, 일부 제약사는 1%대 성장에 그치거나 매출이 하락해 뚜렷한 실적 양극화를 보였다.[64]

화이자는 코로나19 수혜를 제일 크게 받고 있는 제약사다. 코로나19 백신과 치료제를 모두 공급하는 회사는 화이자가 유일하다. 백신 '코미나티'와 치료제 '팍스로비드'의 2022년 연매출은 567억3900만 달러(71조6614억 원)에 달했다. 두 제품을 제외한 화이자의 2022년 매출 성장률은 2%에 그쳤다.

2022년 가장 높은 성장을 이룬 곳은 노보노디스크다. 특히 노보노디스크는 코로나19 수혜 기업이 아닌데도 26% 성장을 이끌어냈다. 노보노디스크의 2022년 연매출은 1769억5400만덴마크크로네(32조1702억 원)로 나타났다.

노보노디스크의 성장은 세마글루티드 성분의 GLP-1 유사체 시리즈 '리벨서스'와 '오젬픽', '위고비'가 이끌었다. 세마글루티드는 노보노디스크가 새로 개발한 장기지속형 GLP-1 유사체 성분이다. 오젬픽은 주사제, 리벨서스는 경구제로 각각 개발됐다. 위고비는 세마글루티드 성분으로 만든 비만 치료제다.

세계 최초의 GLP-1 경구제 리벨서스는 2022년 134% 성장한 113억덴마크크로네(약 2조원)를 올렸다. 같은 기간 오젬픽은 77% 증가한 600억덴마크크로네(약 11조원)를 기록했다. 비만 치료를 목적으로 나온 위고비는 346% 상승한 62억덴마크크로네(약 1조원)를 올렸다. 주1회 맞는 위고비와 달리 매일 맞아야 하는 비만 치료제 '삭센다'(약 2조원)도 52% 증가하며 저력을 발휘했다.

---

64) 데일리팜 '화이자·MSD·노보 글로벌 매출 껑충...혁신신약의 위력'

한편 바이오의약품 대표격인 휴미라의 바이오시밀러가 2023년 1월 미국에서 정식 출시됐다. 본격적인 바이오시밀러 경쟁의 서막이 열린 것이다. 미국 바이오시밀러 시장은 2027년까지 61조원으로 전망되고 있어, 바이오시밀러의 격전지가 될 전망이다.

바이오시밀러는 특허가 만료된 바이오신약의 효능, 안전성, 품질 등 비슷한 특성을 가진 동등생물의약품으로, 바이오시밀러는 바이오신약에 비해 상대적으로 개발비용 및 개발기간을 절감할 수 있고, 제품 가격이 바이오신약의 약 70% 수준이며, 이미 검증된 제품을 생산하기 때문에 단기간에 성장이 가능하다는 장점을 보유하고 있다.

미국의 바이오의약품 시장은 품목별 결산액 기준, 지난 5년간 연평균 12.5% 성장해 케미컬의약품(비생물의약품) 연평균성장률 1.3%를 크게 앞지른 것으로 나타났다. 심지어 바이오의약품은 전체 의약품 지출액의 46%까지 차지하는 것으로 분석됐고, 특히 올해 바이오시밀러 시장은 최대 15% 더 성장할 것으로 예측됐다.

최근 오리지널 바이오의약품 중 일부 품목이 특허 만료 시일이 다가옴에 따라 바이오시밀러와 경쟁에 직면했으며, 이에 따라 바이오시밀러 시장은 더 가파르게 성장할 예정이라고 전망했다.

현재 오리지널에 대한 바이오시밀러 시장은 380억 달러(47조5000억 원)에 이를 것으로 예측되고 있으며, 개발 중이거나 승인이 진행 중인 바이오시멀러까지 합하면 최대 960억 달러(120조원) 규모의 오리지널 시장이 영향을 받을 것으로 예측됐다. 또 출시된 바이오시밀러는 오리지널의 약 24%를 대체할 것으로 분석됐고, 총 바이오시밀러 매출액(결산액 지출)의 약 11% 영향을 줄 것으로 나타났다.

Exhibit 4: Percentage of biologics sales accessible to approved and launched biosimilars and biosimilar efficiency, Q1 2015–Q3 2022

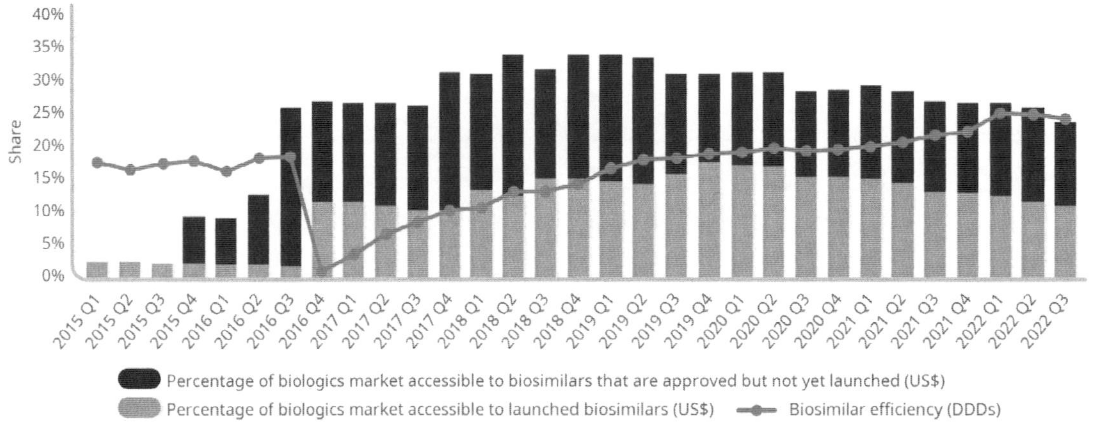

[그림 85] 바이오시밀러 효율성 수치 및 바이오의약품 판매율 (2015~2022)

위 표에서 바이오시밀러 효율성(DDDs)은 바이오시밀러가 승인 및 출시된 시장에서의 점유율을 바이오시밀러의 일일복용량(DDS) 기준으로 계산 한 값을 말한다. 즉, 바이오시밀러 효율성이 높을 수록 바이오시밀러가 출시되면 바이오시밀러가 효율적으로 사용될 가능성이 높다는 것을 의미한다. 2016년 4분기 바이오시밀러 효율성 수치의 큰 하락은 인슐린제제의 바이오시밀러가 출시된 시점이다.

실제 미국에서는 지난 2007년부터 12개 오리지널에 대한 30개 바이오시밀러가 출시됐다. 또 2023년 하반기까지 해당 품목들에 대한 바이오시밀러 10개가 추가로 출시될 예정이다. 이 외에도 오리지널 20개 품목에 대해서도 바이오시밀러가 임상 개발 후반 단계에 와있거나, 승인을 준비 중이다. 전 세계적으로 가장 높은 매출을 기록하고 있는 휴미라(아달리무맙)의 바이오시밀러 '암제비타'가 2023년 1월에 출시됐다. 암제비타는 글로벌 빅파마 애브비 제품이다.

특히 의료비 지출이 가장 높은 면역학, 당뇨병제, 종양학 질환군에서의 전체 바이오의약품 지출의 약 70%로 집계됐다. 해당 질환군에 대한 바이오의약품 성장률은 각각 18.4%, 12.3%, 14.8%로 나타났다. 특히 호흡기 질환군에서는 바이오의약품이 지난 2017년 이후 19.7%의 연평균성장률을 기록해 가장 높은 성장을 나타냈다.

바이오시밀러는 항암제, 인슐린, 면역학 분야에서 많은 출시와 높은 경쟁이 전망되고 있으며, 앞으로는 호흡기제제, 항혈전제, 다발성경화증 분야에서도 높은 성장이 예견된다. 여기에 성장 호르몬, 골다공증 치료제, 안과 질환 분야에서도 바이오시밀러 출시가 이어질 것으로 전망한다.[65]

65) 약업신문 '美 바이오시밀러 시장, 2027년까지 60조원 전망'

글로벌 바이오시밀러 시장 성장 전망에 따라 기업 간 경쟁도 매우 심화될 전망이다. 바이오신약 개발사인 다국적 제약업체 뿐 아니라 합성의약품을 제조하는 대형업체(Pfizer, Merck 등), 제네릭 선두업체들(Teva, Sandoz 등)도 M&A 등을 통해 적극적으로 바이오시밀러 시장에 진입하고 있다.

국가 및 기업별 구분

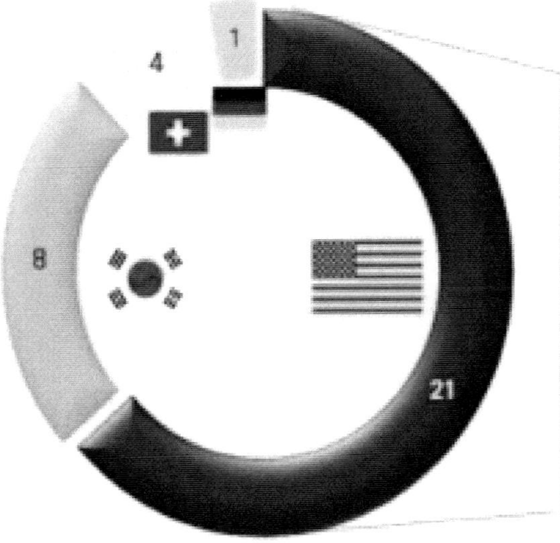

화이자	7개
삼성바이오에피스	5개
암젠	5개
마일란	4개
산도스	4개
셀트리온	3개
...	6개
계	34개

바이오시밀러를 허가받은 기업별로 살펴보면 가장 많이 허가받은 기업은 미국의 화이자로 총 7개의 바이오시밀러를 허가받았으며, 그 다음으로 한국의 삼성바이오에피스와 미국의 암젠이 각각 5개를, 미국의 마일란과 스위스의 산도스가 각각 4개, 한국 셀트리온 3개 순으로 허가를 많이 받았다.

한국은 미국에 이은 2번째 바이오시밀러 강국이지만, 최근 인도 기업이 미국의 바이오시밀러 강자인 비아트리스(마일란)의 바이오시밀러 사업을 인수한다고 발표하면서 미국 내 각 나라 간 바이오시밀러의 경쟁 기류에 변화가 있을 것이라는 예측이 나오고 있다. 인도 Biocon Biologics는 2022년 2월 28일 마일란의 바이오시밀러 사업을 33억 달러에 인수하면서 기존 마일란이 미국에서 허가받은 4개의 바이오시밀러 보유기업이 됐다.

세계 최대 매출 의약품인 휴미라에 대해서는 현재 7개의 바이오시밀러가 허가를 받아 출시준비 중이며, 출시 예정인 2023년부터 치열한 시장 경쟁이 예상된다.

미국에서 바이오시밀러는 오리지널 의약품에 비해 약가가 15%에서 35% 저렴하다. 미국은 OECD 32개국에 비해 전문의약품 약가는 256% 높고, 브랜드 의약품의 경우 344% 높으며, 미국 매출 상위 60개 품목은 395%, 바이오의약품은 295% 높은 것으로 알려졌다. 반면 제네릭의약품(바이오 제외)의 경우에는 OECD 32개국 약가의 84% 수준이다.

미국 바이든 행정부가 미국의 높은 전문의약품 약가와의 전쟁을 선포했으며, 미국 보건부(HHS)는 환자에게 저가의 옵션을 제공할 수 있는 제네릭 및 바이오시밀러 지원을 강화하기로 한 만큼 미국 바이오시밀러 시장은 더욱 확대될 것으로 보인다. 여기에 미국 FDA의 연이은 인터체인저블 바이오시밀러 지정으로 미국 바이오시밀러 시장의 확대는 가속할 것으로 전망된다.[66)]

66) BIO TIMES '세계 2위 바이오시밀러 강국 '한국', 인도 공습에 위상 흔들리나'

2) 향후 유망 의약품

치료 영역 별로 향후 5년간 항암제, 면역치료제, 비만치료제 등의 3대 부문이 세계 의약품 시장의 성장을 주도할 전망이다.

항암제(Oncology) 부문은 5년간 100개 이상의 신약이 출시될 것으로 예상되며 여기에는 세포 및 유전자치료제, 면역항암제 등이 포함됨. 항암제는 2022년 1,930억 달러에서 연평균 13~16% 증가세로 2027년에는 3,770억 달러로 급성장 할 것으로 전망된다.

그리고 아토피치료제 및 천식치료제 등의 성장에 힘입어 면역치료제는 2022년 1,430억 달러에서 연평균 3~6% 증가세로 2027년에는 1,770억 달러로 성장할 것으로 전망된다. 3~6% 라는 비교적 완만한 증가세를 보일 것으로 예상되는 이유는, 선진국에서 휴미라를 포함해 다수의 면역치료제 특허가 만료되면서 향후 5년간 면역치료제 시장의 50% 이상이 제네릭 및 바이오시밀러 경쟁에 직면할 것으로 전망되기 때문이다.

항암제를 제외하고 대부분의 질환별 치료제 시장의 성장세가 5% 전후를 보일 것으로 전망되는 가운데 비만치료제는 향후 5년간 10~13%의 높은 성장세를 보일 것으로 전망된다. 글로벌 비만치료제 시장은 2020년 25억 달러에서 2022년 100억 달러로 급성장하였으며, 보험 적용 여부에 따라 2027년에는 최소 170억 달러에서 최대 1,000억 달러까지 성장할 것으로 전망된다.[67)]

또한, 세포치료제와 유전자치료제를 중심으로 희귀의약품 성장이 더욱 가속화될 전망이다. 세포 및 유전자치료제 연구개발은 미국, 중국을 중심으로 활발하게 진행되고 있으며 향후 안전성, 유효성, 비용 등이 이슈가 될 것으로 보인다.

---

67) 한국바이오협회 '글로벌 의약품 시장 2027년 1조 9천억 달러 전망'

전세계 희귀의약품 시장 규모와 점유율	FDA 승인 신약 중 희귀의약품 비중

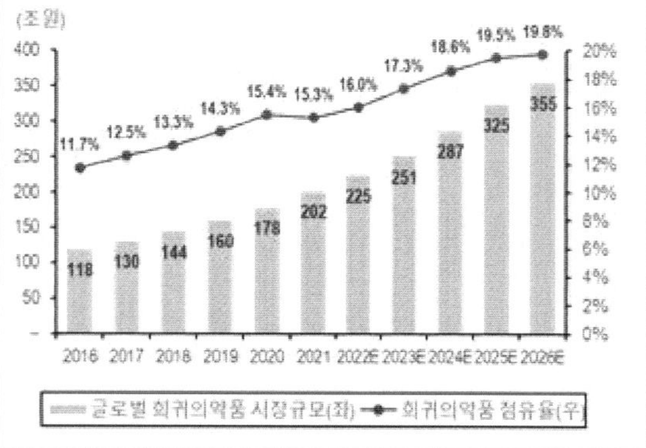

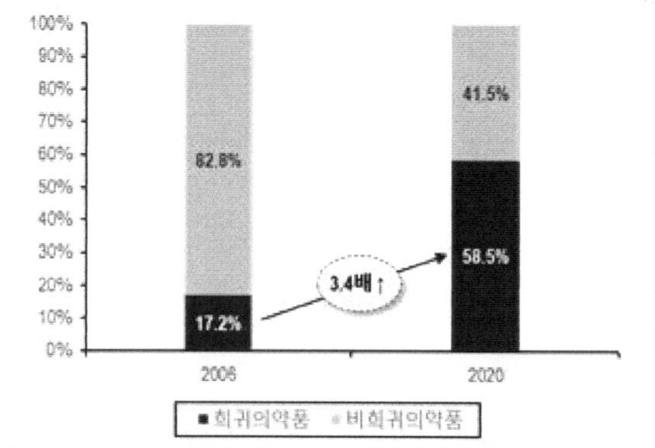

출처: EvaluatePharma, Orphan Drug Report (2022)

최근 희귀의약품은 각국 정부의 연구개발(R&D) 인센티브 강화, 보험 적용 확대, 적응증 확대로 국내외 제약사들의 관심이 높아지고 있다. 특히 미국 식품의약국(FDA)이 승인한 의약품 중 희귀의약품의 비중은 2006년 17.2%에서 2020년 58.5%로 3배 이상 증가해 희귀질환 치료제 개발 및 승인은 활발해진 것으로 보인다.

글로벌 의약품 시장조사기관 이밸류에이트파마(Evaluate Pharma)에 따르면 희귀의약품 시장 규모는 2021년 기준 1550억 달러(약 202조원)에서 2026년 2730억 달러(약 355조원)로 연평균 12% 성장할 것으로 전망됐다. 이는 비희귀의약품 시장과 비교해 2배 이상의 성장세다. 2026년 희귀의약품 매출은 전체 처방의약품 매출의 약 20%를 차지할 것으로 조사됐다.

희귀의약품에 대한 업계의 높은 기대에도 불구하고 실제 희귀질환을 대상으로 한 신약개발에는 많은 어려움과 진입장벽이 존재한다.

희귀약품은 임상 1/2상 완료 후 시판허가를 받을 수 있어 신약 개발기간이 일반의약품 대비 상대적으로 짧다는 장점이 있다. 또 희귀질환의 경우 임상에 필요한 환자 모수도 10~20명 내외로 비희귀의약품 대비 적다. 치료제 개발에 성공하면 큰 수익을 얻을 수 있어 글로벌 제약사와 바이오 기업들이 희귀질환 치료제 개발에 적극 나서는 추세다.[68]

68) 뉴스핌 '[뉴스핌 라씨로] 세계 최고가약 '졸겐스마' 건보 적용...노벨파마, 희귀의약품 바이오벤처사 관심↑'

가) 차세대 항체

현재 바이오의약품 시장은 상위 10개 바이오신약 중 7개가 단일클론항체가 차지하는 등 항체의약품이 주도하고 있으나 블록버스터급 바이오의약품들의 특허만료로 바이오시밀러 출시가 증가함에 따라 경쟁이 더욱 심화될 전망이다.

항체 의약품은 현재 암, 류마티스 관절염 등의 질환에서 표적 치료를 기반으로 혁신적 성과를 달성하고 있으나 항체의약품 경쟁심화에 따라 기존 항체의약품을 여러 가지 형태로 변형하여 치료 효능을 높인 신약개발이 증가하고 있다. 이러한 예로, 최근 치료 대상의 범위와 효과를 높이기 위한 이중표적항체(Bispecific Antibody), 항체-약물 결합체 (ADC, Antibody Drug Conjugate) 등 개량된 항체 의약품들이 개발 중이다.

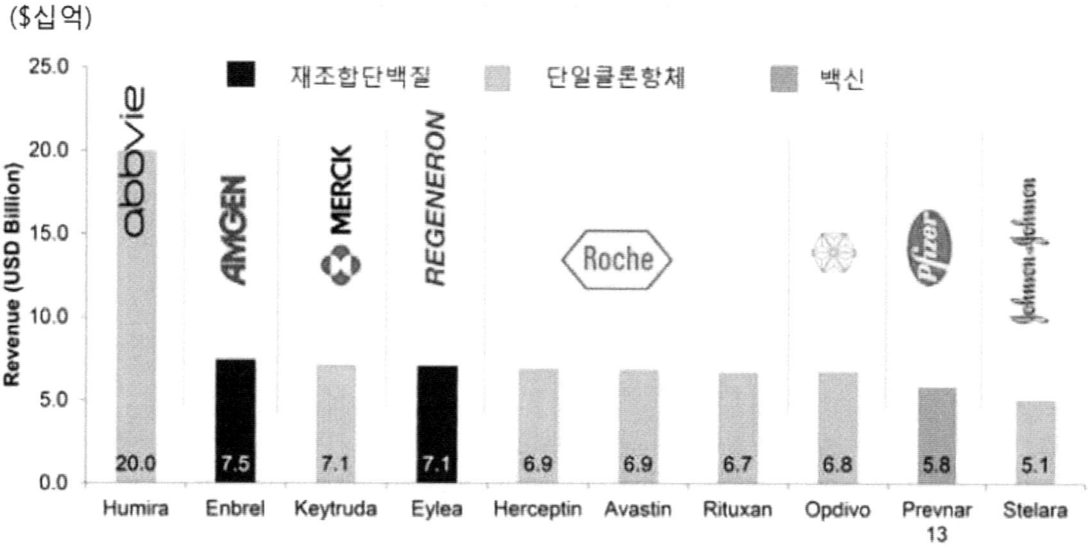

[그림 88] 글로벌 바이오신약 상위 10위 제품(2018년)

이중표적항체는 두 개의 다른 항체를 하나로 연결하여 한 쪽은 암세포, 다른 한쪽은 면역세포를 인식하는 구조로 되어 있어, 세포사멸 및 면역세포 활성화가 동시에 가능하다. 이중항체 개발은 1990년부터 시작되어, 현재까지 총 3개[69]의 이중항체가 미국 FDA와 유럽 EMA 승인을 취득했다.

현재 100여 개가 넘는 이중항체 플랫폼이 연구개발 중에 있고, 그 중 30여건 이상이 임상단계에 있다. 향후 이중항체 시장규모는 2017~2030년 연평균 34%로 성장, 2017년 1.8억 달러에서 2030년 에는 93억 달러가 될 것으로 전망된다.

69) 2009년 Removab(악성 복수 치료제, 네오팜 바이오텍), 2016년 Blincyto(급성림프구성 백혈병 치료제, 암젠), 2017년 Hemlibra(A형 혈우병 치료제, 로슈) 등

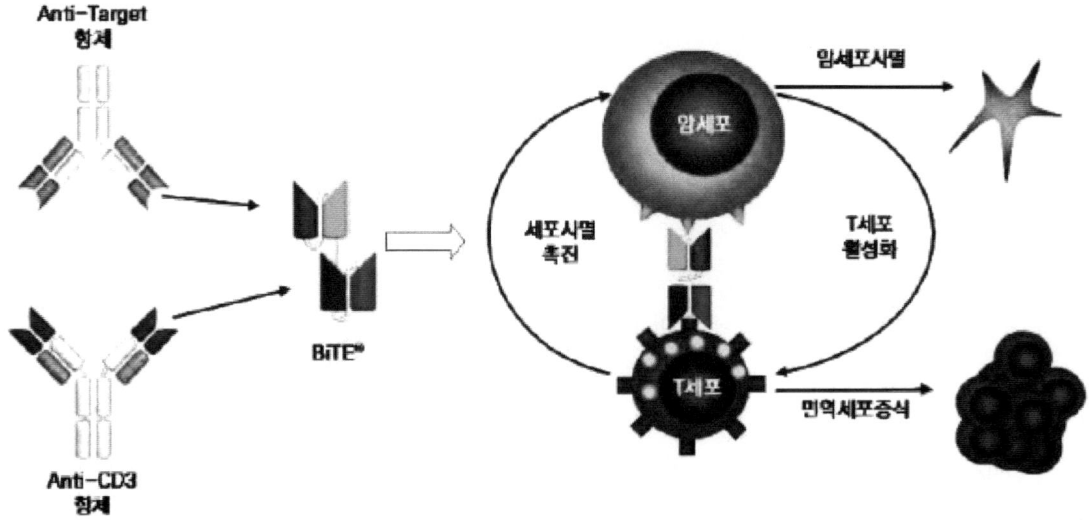

[그림 89] 이중표적항체의 작용 원리

항체-약물 결합체(ADC)는 항체에 세포독성약물(Cytotoxic agent)을 링커(Linker)로 접합시킨 구조로 ADC가 암세포 표면 수용체를 인식하고 붙으면 ADC가 세포 내로 들어가고 약물이 분리되면서 세포 사멸을 유도한다.

세포독성약물은 강한 독성으로 인해 단독 사용이 어려우나, 암세포만 선택적 공격이 가능하면 낮은 농도로 암세포의 효율적 파괴가 가능하다. ADC는 항체의 암세포 선택성이 높고, 약물이 암세포를 만날 때까지 분리되지 않아야 하며, 암세포 안으로 들어간 후 약물이 효율적으로 분리되어야 한다.

ADC는 단일클론항체 능력과 성능을 확장함으로써 종양학 외에 혈액학, 심장질환, 자가면역 장애 부문까지 적용이 가능하다. 주요 업체로는 Actinium Pharma, Seattle Genetics, Mersana Therapeutics, UNUM therapeutics 등이 있다.

나) 세포 치료제

CAR-T(Chimeric antigen receptor T-cell) 치료제는 대표적인 세포 치료제로서 2018~2030년 연평균 51% 이상의 고성장이 전망된다.

CAR-T 치료제는 암환자 혈액에서 T 세포를 추출하여 바이러스 등을 이용하여 T 세포 표면에 암세포를 인식할 수 있는 단백질(CAR)을 만든 후 CAR-T 세포를 외부에서 증식시킨 후 환자에게 다시 주입하는 방식의 치료제로, 이 때 CAR는 T 세포 외부에서는 암세포를 인식하는 한편, T 세포 내부에서는 T 세포 활성화 신호를 전달하여 암세포를 공격하도록 한다.

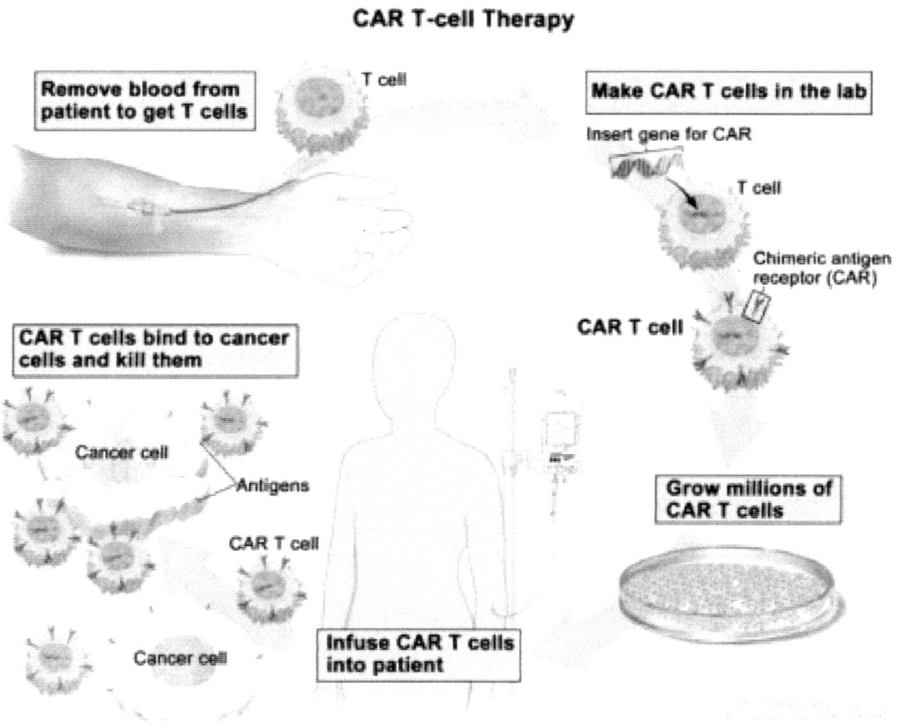

[그림 90] CAR-T 치료제 원리

CAR-T 치료제의 장점은 정상세포의 손상은 줄이고 암세포만 효과적으로 파괴할 수 있고, T 세포가 자체적으로 증식하여 암 재발 가능성을 낮출 수 있다는 점이며, 단점으로는 환자 맞춤 의약품으로 대량생산이 불가능하고, 치료비용이 고가인 점, 사이토카인[70] 분비가 과하게 나타날 수 있으며, T 세포가 도달하기 어려운 고형암에는 적용이 어려운 점 등이 존재한다.

70) 신체의 방어체계를 제어하고 자극하는 신호물질로 사용되는 당단백질

이러한 CAR-T 치료제의 내재적인 문제점들을 살펴보면 CAR-T 치료제가 처음에 치료 효과를 보이더라도 시간이 지나면서 효과가 지속적으로 작용하지 않는 경우가 많다. 고형암에 대한 치료제를 개발할 때에 정상 세포나 조직에 대한 부작용이 특히 문제가 된다. 무엇보다도 고형암은 CAR-T 세포의 접근성이 물리적으로 어렵고, 암세포가 주위 환경을 교란하여 면역세포를 회피하는 전략을 사용하기 때문에 치료제가 효과적으로 작용하지 못한다.

그래서 차세대 CAR-T 치료제 개발에서 치료의 강도와 작용 시간을 조절하여 부작용을 감소시키고, 고형암에 대하여 효과적으로 작용하도록 약물을 디자인하며, 암세포에 대한 특이성을 높이고 적용 가능한 암의 스펙트럼을 넓히려는 다각적인 노력이 이루어지고 있다. 이 분야의 개발은 아이디어 집약적이어서 목표가 분명하고 불확실성이 상대적으로 낮으므로 동력이 강하기 때문에 분자생물학적인 수단과 방법이 다양하게 시도되고 있다.

특히 CRISPR 유전자 교정 기술이 CAR-T 치료제 개발에 적극 사용되고 있다. 유전자 교정 기술을 이용하면 세포의 유전자의 특정 부위를 조작할 수 있어서, 치료제 개발에서 CAR 유전자를 보다 효율적으로 발현하게 하고 치료제의 안전성도 확보한다. CAR 유전자 조작 외에도, 암세포와의 반응성을 조절하는 유전자를 부가적으로 삽입하거나 교정하고 제거하여 기능을 강화한다. 또한 유전자 교정 기술이 발전하면서, 기성품형 CAR-T 세포 치료제 개발도 추진력을 얻게 되었다.

기성품형 CAR-T 치료제를 개발하기 위해서는 CAR 유전자를 도입하기 전에 유전자 교정 기술을 이용해서 부가적인 유전자 조작을 한다. 면역세포는 기본적으로 '자기'와 '이물질'을 구별하는 능력이 있는데, 공여자의 면역 T 세포에서 이 능력과 관련된 단백질의 유전자를 제거한다. 이제 CAR-T 세포가 피아를 구별하지 못하니 환자의 체내에서 정상 세포를 공격하지 않는다. 다음으로, CAR-T 세포에서 면역세포임을 나타내는 마커를 제거한다. CAR-T가 면역세포이지만 아닌 척 위장을 시킨다. 치료 중에 환자에게 면역세포를 억제하는 약물을 투여하는데, CAR-T 가 이 약물의 영향을 받지 않게 된다. 이제 CAR-T 세포는 환자의 체내에서 제거되지 않고 생존하여 작용할 수 있다.

영국의 런던 대학교에서 건강한 사람의 면역 T 세포로 CAR-T 치료제를 만들어서 소규모 임상시험을 하고 있다. 한 환자의 경우, 암세포가 면역 T 세포에서 유래하여 부득이 다른 사람의 면역세포로 만든 CAR-T를 사용해야만 했다. 환자는 13 세 여아인데, 약물 투여 후 반 년이 경과한 2022 년 12 월까지도 치료 효과가 지속되고 있었다. 하지만 치료 후 막 6 달이 경과한 시점에 약물의 성공을 판단하기에는 이르다. 앞으로도 항암 효과가 지속적으로 작용한다면, 임상시험에 참가한 환자의 생명을 연장할 뿐 아니라, CAR-T 약물이 승인된 이후 이 분야에서의 진일보를 기록하는 중요한 성과가 될 것이다.[71)]

현재는 6 종의 CAR-T 치료제가 약물로 승인을 받아 사용되고 있다. 킴리아 (급성 림프구성 백혈병, 2017 년 FDA 승인), 예스카타 (미만성 거대 B 세포 림프종, 2017 년), 테카투스 (멘틀세포 림프종 및 급성 림프구성 백혈병, 2020 년), 브레얀지 (미만성 거대 B 세포 림프종, 2021 년), 아베크마 (다발성 골수종, 2021 년), 그리고 카비크티 (다발성 골수종, 2022 년) 등이 있다. 모두 혈액암에 대한 치료제이다. 고형암에 대한 치료제는 아직 나오지 않았다. 주로 말기암 환자 또는 중증의 암환자에게 사용되지만 최근에 환자의 범위를 확대하여 사용하는 추세이다. 카비크티는 중국 난징에 기반을 둔 바이오텍인 레전드가 개발했다. 메이드 인 차이나의 제약 및 바이오 산업의 성장을 보여 주는 예이다.

국가신약개발사업단(KDDF)은 '신약개발 글로벌 트렌드 분석 유전자·세포 치료제' 보고서를 통해 글로벌 세포유전차치료제 시장을 분석하여 오는 2026년에 유전자 변형 세포치료제의 시장 규모가 165억3000만 달러(2조3540억원)로 가장 클 것으로 예상했다.

---

71) 팜뉴스 'CAR-T, 차세대 CAR-T, 그리고 기성품형 CAR-T 세포 치료제'

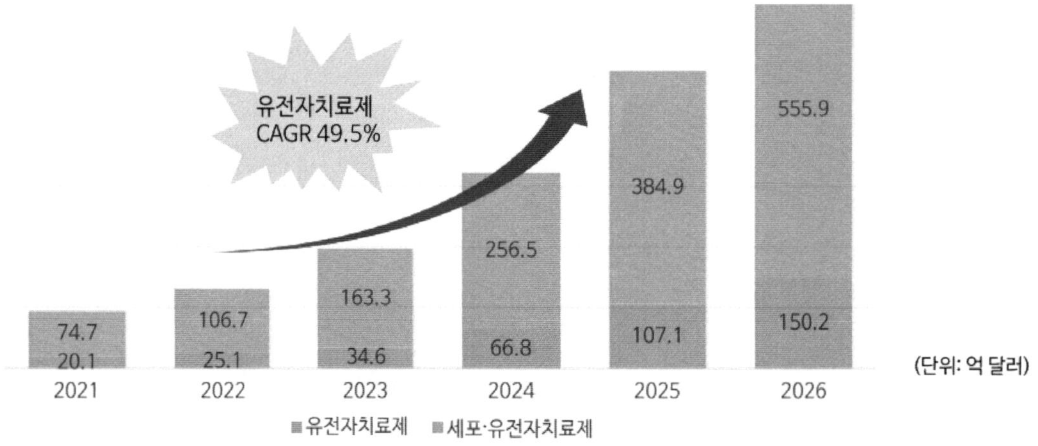

※출처: frost & Sullivan, Global Cell and Gene Therapy (CGT) Growth Opportunities(2022), Evaluate Pharma(2022)

[그림 91] 세포치료제 시장 전망

2022년 2월 기준 글로벌 세포·유전자치료제 파이프라인은 3343개이며, 치료제 종류별로는 세포치료제가 29.4%로 가장 많았고, 적응증 별로는 암이 42.4%로 가장 비중이 높았다.

CAR-T 세포 치료제는 지속적으로 세포치료제 파이프라인을 주도하고 있으며, 그 외 세포 치료제는 2021년보다 129% 증가해 가장 빠르게 늘어나는 것으로 확인됐다. CAR-T 세포 치료법에서 가장 흔한 표적단백질인 CD19, BCMA 및 CD22의 사용빈도는 완만하게 증가했다. 고형암에서 TAA를 표적으로 하는 세포 치료제 역시 크게 증가했다.[72)]

72) Medical Times 'CAR-T가 주도하는 세포·유전자치료제…연 평균 49.5% 성장'

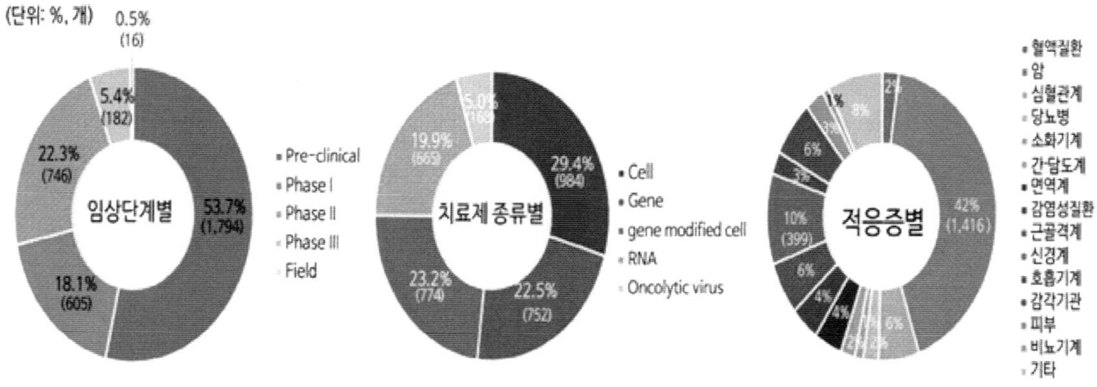

※ 출처: 보건산업브리프 Vol.352, 글로벌 세포·유전자치료제 시장 전망 및 오픈 이노베이션 동향

그림 92 세포치료제 파이프라인 현황(2022)

다) 유전자 치료제

유전자 치료제는 인체에 직접 주사하거나 또는 체외(ex vivo)에서 세포를 매개체로 하여 DNA 또는 RNA를 삽입하는 모든 치료제를 포함하며, DNA, RNA 등의 유전자를 세포나 핵 안으로 전달하는 과정에서 전달 효율성을 높이기 위해 다양한 운반체(벡터)를 사용한다.

DNA 형태로 유전 물질을 전달하는데 사용되는 벡터에는 아데노바이러스, 아데노관련 바이러스(AAV), 우두바이러스, HSV 등이 있으며, RNA 형태로 유전물질을 전달하는 바이러스에는 레트로바이러스, 렌티바이러스 등이 존재한다.

2015년 9월 Amgen의 oncolytic virus 항암제 Imlygic이 최초로 FDA 허가를 받은 바이러스 항암제이며, 이후 2016년 9월 Sarepta의 올리고핵산 치료제 EXONDYS 51이 허가에 성공하며 유전자치료제 개발이 활발히 이루어지고 있다.

최근에는 인체 외부에서 DNA, RNA 등의 유전자를 주사하는 방식이 아니라, 몸 속 유전 정보를 바꿀 수 있는 유전자 교정(Genome Editing) 기술인 '유전자 가위'에 대한 연구가 활발히 진행되고 있다.

유전자 가위란 특정 염기서열을 인지하여 해당 부위의 DNA를 절단하는 제한효소로서, 인간세포와 동식물 세포의 유전자를 교정하는 데 사용하는 인공효소로, 1세대(ZFN), 2세대(TALEN) 기술을 거쳐 좀 더 낮은 비용으로 효율적으로 유전자 염기서열을 교정할 수 있는 3세대 기술 크리스퍼(CRISPR/Cas9)가 등장했다.

최근 가장 많이 연구되고 있는 3세대 유전자가위 크리스퍼(CRISPR)는 세균이 천적인 바이러스를 물리치기 위해 관련 DNA를 잘게 잘라 기억했다가 바이러스가 다시 침입했을 때 물리치는 면역체계를 이용한 것으로, Crispr Therapeutics, Mustang Bio, Serapta Therapeutics, Editas, Intellia 등이 이 분야 선도기업으로, 가축 유전자 교정을 통한 품종 개량부터 인체 적용까지 시도하고 있다.

다만 인체 면역반응이 Cas9 단백질에 의해 유도되어 실제 CRISPR/Cas9 기술이 사람 몸 속에서 부작용이 나타나거나, 기능을 상실할 수 있다는 연구 논문이 발표되어 불확실성도 존재한다.

구분		개념	특성	2015 시장규모 (십억$)	연평균 성장률 ('15~'20)
차세대 항체	이중항체	2가지 이상의 항원을 인식할 수 있는 항체	다수 질병 타겟 가능, 기존 항체의약품 대비 대상 질환 다양	2.8	13.1%
	ADC	항체-약물 결합체	톡신(강한 암세포 사멸)과 항체(표적 타겟팅) 장점 융합		
RNA 치료제		특정 질병을 일으키는 단백질을 mRNA 단계에서 파괴하여 합성 억제	항체 대비 작은 크기로 효과적인 타겟팅	1.0	12.2%
유전자 치료제		유전물질(DNA/RNA)을 체내에 직접 주입하여 결핍/결함 유전자 교정	가장 근원적인 질병 치료방법	0.6	26.0%
세포 치료제		줄기세포나 면역세포를 체외에서 배양 후(필요 시 유전자 조작) 체내 주입	재생의료 관점에서 난치 퇴행성 질환 치료 가능	4.0	20.1%

[표 49] 바이오의약품 분야별 주요 기술

3) 연구개발 동향

글로벌 신약 개발 시 평균 1조~2조 원 상당의 개발 비용과 평균 10~15년 정도의 장기간의 개발기간이 소요된다.

신약개발은 크게 후보물질 탐색, 前임상, 임상시험 단계로 구분되며, 신약후보물질 탐색을 위한 기초 R&D(약 5년) 후 전 임상 단계(약 3년)에서 인간에게 약물을 투여하기 전에 동물대상으로 약물 효능 및 안전성 평가를 진행한다.

전임상 자료를 바탕으로 보건당국에 IND((Investigational New Drug, 연구신약) 승인을 받고 임상단계에 진입하는데, 이때, 임상 단계는 6~7년이 소요되며, 전문역량과 고비용이 요구되는 단계로 전체 신약개발 비용의 약 70%를 소모한다.

임상시험은 의약품 안전성과 유효성 증명을 위해 인간을 대상으로 실시하는 시험 또는 연구로서, 총4상(相, Phase)으로 구성된다.

임상 1상 단계에서는 대부분 소수의 건강한 성인을 대상으로 약물의 체내 흡수, 분포, 대사, 배설 등에 대한 자료를 수집하면서 안전성 평가(약 1~2년)를 진행한다. 임상 2상 단계에서는 100~300명 수준의 환자들을 대상으로 적정용량의 범위(최적의 투여량 등)와 용법을 평가(약 2년)하며, 임상 3상 단계에서는 1,000~3,000명의 환자를 대상으로 약물 유효성과 안전성을 최종적으로 검증(약 3년)한다.

임상 3상을 통과하면 보건당국에 NDA(New Drug Application, 신약승인 신청서)를 신청하여 약물 제조 및 판매허가를 받게 되며(약 1~2년), 판매허가를 득한 후에 대규모 상용화 단계로 진입한다. 임상 4상 단계에서는 약물 시판 후 부작용을 추적하여 안전성을 재고하고, 추가적인 연구를 시행(수년간 모니터링)한다.

구분	후보물질 탐색	전임상	IND*	임상 1상	임상 2상	임상 3상	NDA**	시판 후 임상 4상
내용	후보물질개발	기초적인 안전성과 유효성 확인	임상실험 개시 신청	안전성 및 투여량 측정단계	약효 및 부작용의 평가	약효 및 장기적 안전성	시판 승인 신청	제품 출시 후 부작용 관찰
대상	실험실 테스트	동물		20~100명의 정상인	100~300명의 환자	1000~3000명의 환자		
소요기간	약 5년	약 3년	1~3개월	약 1.5년	약 2년	약 3년	약 1~2년	수년간 모니터링
성공률	약 5천~1만 개 후보물질	약 5천~1만 개 후보물질 중 약 250개 진입		약 5개 정도의 신약후보 물질이 진입하여 임상테스트를 거치게 됨			1개	

*IND(Investigational New Drug): 임상시험 허가 승인단계로 각각 임상 1상, 2상, 3상 시험 앞에 있다.
**NDA(New Drug Application): 합성의약품 신약의 제품 판매 승인

[그림 93] 신약개발 단계

최근 코로나19 팬데믹으로 바이오제약 산업의 중요성이 부각되면서 공공 및 민간의 투자 역사 상 최고치를 기록했다. 경쟁사를 포함한 데이터 공유 및 협업 확대, 규제 기관의 유연한 대응 등으로 빠른 시간에 백신이 개발되었고 업계가 백신 생산을 본격화하면서 투자자들의 자금이 대거 유입되었다. Nasdaq Biotech Index는 2020년 30% 이상 상승하였고, 2021년 초 사상 최고치를 기록하고 벤처캐피탈 투자도 2020년 약 220억 달러로 2019년 보다 39% 증가했다.73)

< 바이오제약 부문 벤처캐피털 투자 동향 (단위 : $bn) >

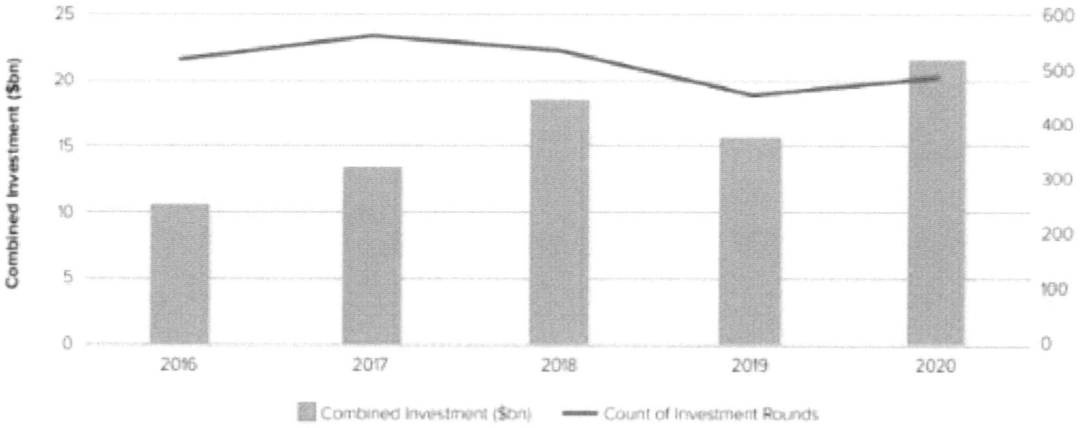

출처 : EvaluatePharma, World Preview 2021, Outlook to 2026, 2021.7.30.

국가신약개발사업단에서는 제약바이오 분야 글로벌 미디어 피어스바이오텍(FierceBiotech)이 공개한 2021년 R&D 투자액을 기준으로 글로벌 제약사 상위 10개사 명단과 각 사의 성과를 다음과 같이 공유·분석했다.

순위변화	R&D 투자액 순위		회사명	총 매출액			R&D 투자액			R&D 비중		
	2020년	2021년		2020년	2021년	증감 (%p)	2020년	2021년	증감 (%p)	2020년	2021년	증감 (%p)
-	1	1	Roche	62.4	71.4	14%	13.9	16.1	14%	22.2%	23%	0.8%
1↑	3	2	J&J	82.6	93.8	14%	12.2	14.7	21%	14.7%	16%	1.3%
2↑	5	3	Pfizer	41.9	81.3	94%	9.4	13.8	47%	22.4%	17%	-5.4%
2↓	2	4	MSD	48.0	48.7	1%	13.6	12.2	-9%	28.3%	25%	-3.3%
1↓	4	5	Bristol Myers Squibb	42.5	46.4	9%	11.1	11.3	2%	26.0%	24%	-2.0%
New	-	6	AstraZeneca	26.6	37.4	41%	6.0	9.7	62%	22.6%	26%	3.4%
1↓	6	7	Novartis	48.7	51.6	6%	8.9	9.0	1%	18.2%	17%	-1.2%
1↓	7	8	GlaxoSmithKline	47.5	46.2	-3%	7.7	7.2	-6.5%	16.1%	16%	-0.1%
-	9	9	AbbVie	45.8	56.2	23%	6.6	7.1	8%	14.3%	13%	-1.3%
-	10	10	Eli Lilly	24.5	28.3	16%	6.1	7.0	15%	24.8%	25%	0.2%

[그림 95] 2021 글로벌 제약사 R&D 투자액 탑10

73) BioIN '글로벌 바이오제약 산업 2021 프리뷰 및 2026 전망'

사업단에 따르면 코로나19 백신과 치료제 개발 성과로 매출액이 크게 증가한 화이자와 아스트라제네카가 R&D 투자에서도 큰 증가폭을 보이면서, 2020년 순위에서는 10위권에도 들지 못했던 아스트라제네카가 1년 만에 6위로 껑충 올랐다. 로슈, 존슨앤드존슨(J&J), 일라이 릴리 또한 두 자리 수의 R&D 투자 증가율을 보이며, 2020년 순위를 끌어올리거나 자리를 지켰다.

반면 R&D 투자액이 두 자리 수를 밑돌거나 감소한 제약사들은 2021년보다 순위가 하락하거나 상승하지 못한 것으로 나타났다. 사노피의 경우 2020년에는 8위를 차지했으나, 2021년에는 2%대의 R&D 투자액 증가율을 보이며 11위로 상위 10위권에 오르지 못했다.

국가신약개발사업단 기획운영팀 선임연구원은 “2021년 상위 10개사 명단에 오른 글로벌 제약사들의 매출액 대비 R&D 투자액 비중은 최소 13%에서 최대 26%였다”며 “아스트라제네카가 가장 높은 비중인 26%를, 애브비가 가장 낮은 비중인 13%를 기록했다”고 설명했다.74)

글로벌 제약산업 분석·조사기관 이밸류에이트파마 2026년 전망보고서를 따르면, 로슈는 2026년이 되면 신약 연구개발(R&D) 투자비용이 129억 달러(약 15조3381억 원)로, 2019년 대비 약 3.3% 증가할 것 예측됐다. 전반적인 신약개발 R&D 규모는 2026년 2325억 달러(약 276조6285억 원)로 약 3.2% 증가할 것으로 예측됐다.

Figure 10: Pharmaceutical R&D in 2026: Top 10 Companies

Source: EvaluatePharma, June 2020

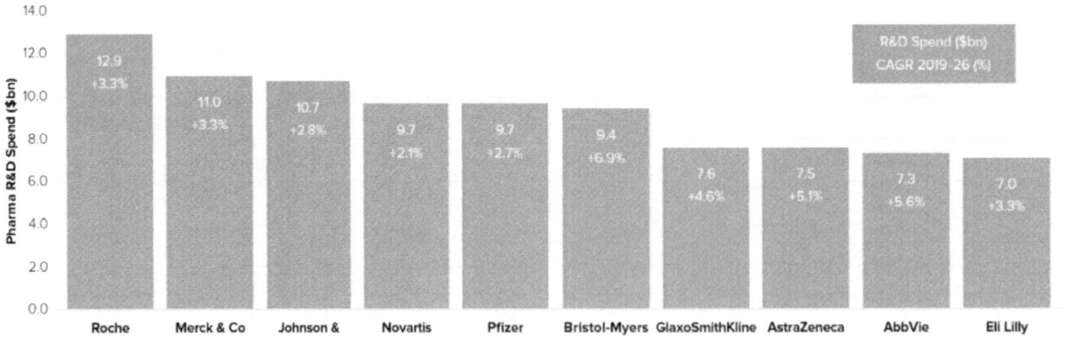

뒤이어 MSD가 110억 달러(약 13조834억 원)로, 존슨앤존 107억 달러(약 12조7287억), 노바티스와 화이자가 97억 달러(약11조5371억 원), BMS가 96억 달러(약 11조4249억 원), GSK가 76억 달러(9조424억 원), 아스트라제네카가 75억 달러(약8조9235억 원), 애브비가 73억 달러(약 8조6855억 원), 일라이 릴리가 70억 달러(약 8조3272억 원)를 R&D 비용으로 지출할 것으로 전망됐다.

74) 약업신문 ‘R&D 투자 글로벌 제약사 1위는 로슈…화이자·AZ, 코로나19 혜택 톡톡’

Table 14: Pharmaceutical R&D Spend (2019 & 2026): Top 10 Companies & Total Market

Source: EvaluatePharma, June 2020

Rank	Company	Pharma R&D ($bn) 2019	Pharma R&D ($bn) 2026	CAGR 2019-26	R&D As a % of Prescription Sales 2019	R&D As a % of Prescription Sales 2026	Chg. (+/-)
1.	Roche	10.3	12.9	+3.3%	21.3%	21.2%	-0.1pp
2.	Merck & Co	8.7	11.0	+3.3%	21.3%	20.6%	-0.7pp
3.	Johnson & Johnson	8.8	10.7	+2.8%	22.0%	19.1%	-3.0pp
4.	Novartis	8.4	9.7	+2.1%	18.2%	17.7%	-0.4pp
5.	Pfizer	8.0	9.7	+2.7%	18.2%	18.9%	+0.7pp
6.	Bristol-Myers Squibb	5.9	9.4	+6.9%	23.4%	21.0%	-2.4pp
7.	GlaxoSmithKline	5.5	7.6	+4.6%	17.7%	18.6%	+0.9pp
8.	AstraZeneca	5.3	7.5	+5.1%	22.9%	18.3%	-4.6pp
9.	AbbVie	5.0	7.3	+5.6%	15.4%	13.9%	-1.6pp
10.	Eli Lilly	5.6	7.0	+3.3%	27.9%	22.7%	-5.2pp
	Total Top 10	71.6	**92.8**	+3.8%	21.6%	20.4%	-1.2pp
	Other	114.6	**139.7**	+2.9%			
	Total	186.1	**232.5**	+3.2%	21.4%	16.7%	-4.6pp

특히 상위 10대 제약사 중 일라이 릴리는 매출액 대비 연구개발비 투자 비중이 22.7%로 가장 높을 것으로 분석됐다. 매출액 대비 R&D 지출 비중은 GSK와 화이자가 각각 0.9%, 0.7% 늘어날 것으로 예측된 반면, 릴리와 아스트라제네카는 5.2%, 4.6%로 감소할 것으로 분석됐다. 특히 BMS는 2019년 대비 R&D 규모가 약 6.9% 증가하며 제약사 10곳 중 가장 큰 증가폭을 보였는데, 이는 세엘진 합병에 따른 것으로 분석됐다.

보고서를 통한 전망은 R&D 효율성을 잠재적으로 극대화시키기 위해 협력적인 연구개발과 그 일환으로 인공지능(AI)뿐만 아니라 긴 주기의 다른 회사에 대한 활발한 투자가 기대된다.[75]

이에 따른 향후 글로벌 CRO 시장은 2021년 594억 달러에서 2027년에는 약 1,082억 달러 규모로 지속적인 성장이 전망되며, 연평균 성장률은 코로나19 팬데믹 이전 수준인 약 10.5%로 전망된다. CRO(Contract Research Organization, 임상시험수탁기관)란 신약개발 주기에 맞는 다양한 임상개발 서비스(전임상·임상시험, 후보물질 발굴 및 선정, 의약품 상업화 솔루션 서비스 등)를 제공하는 기관을 의미한다.

최근 다국적 제약사 및 바이오제약기업들은 신약개발 비용절감을 위해 일원화되었던 생산, 개발, 임상, 마케팅, 유통 등을 분리해 아웃소싱으로 진행하는 사례가 증가하면서 향후 CRO 시장 규모 증가로 이어졌다.

75) HIT NEWS '로슈 2026년 15조원 규모, R&D투자 제일 많이 할 것'

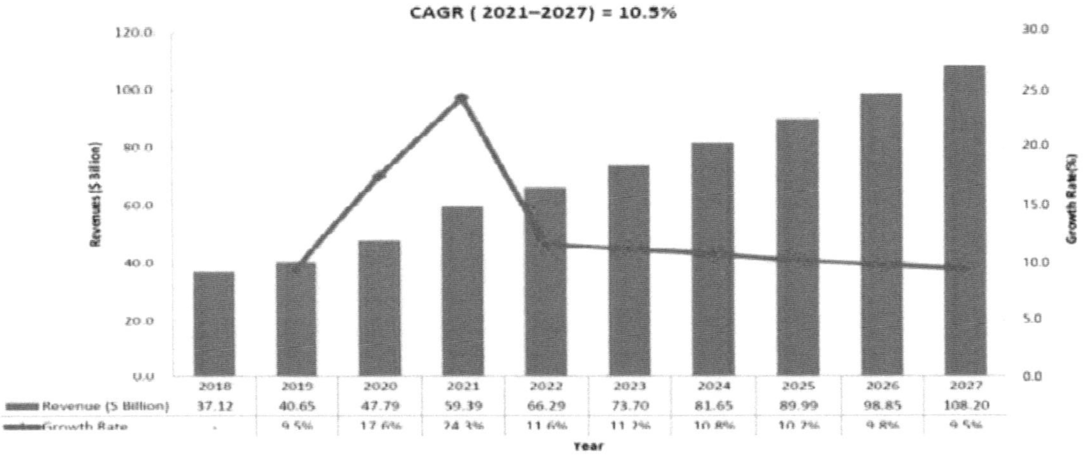

출처 : Frost&Sullivan, Global Contract Research Organization Growth Opportunities(2022.11), 국가생명공학정책연구센터 재가공

[그림 98] 글로벌 CRO 산업 시장규모 및 성장률(2018~2027)

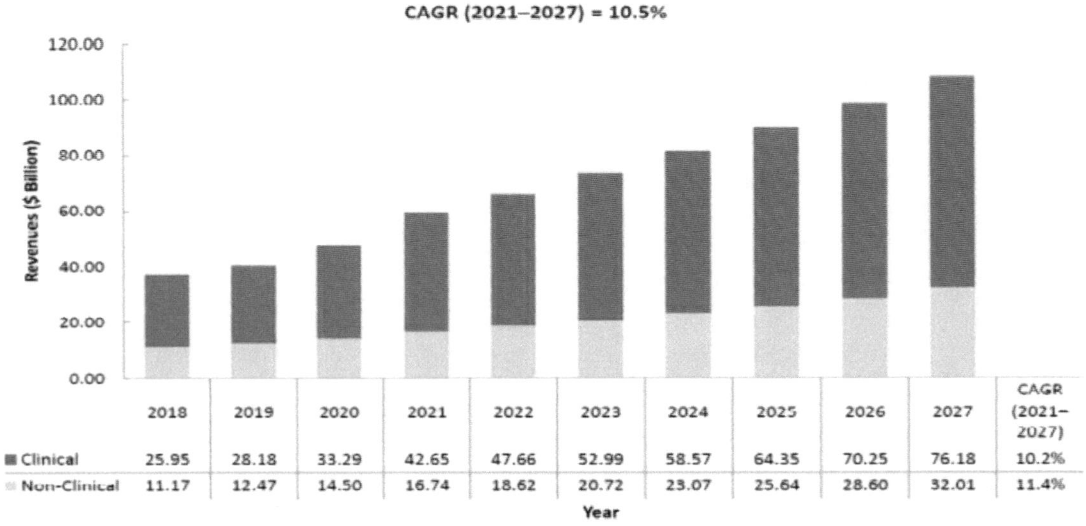

출처 : Frost&Sullivan, Global Contract Research Organization Growth Opportunities(2022.11), 국가생명공학정책연구센터 재가공

[그림 99] 임상시험 ·비임상시험 CRO산업 시장 규모 및 전망

영역별로 살펴보면 전체 CRO 시장을 '임상시험'와 '비 임상시험'으로 구분 시 2027년 기준으로 임상연구 분야가 전체 시장의 76.18%를 차지할 것으로 나타났다.

임상시험 CRO산업 시장규모는 2021년 약 427억 달러 규모로, 2021년부터 2027년까지(약 761억 달러)까지 연평균 10.2%의 성장이 예상된다. 코로나19 치료제 임상연구로 2020년~2021년 약 28.1% 성장하였으나, 팬데믹 관련 연구에서 벗어나면서 정상적인 수준으로 회귀할 것으로 전망된다.

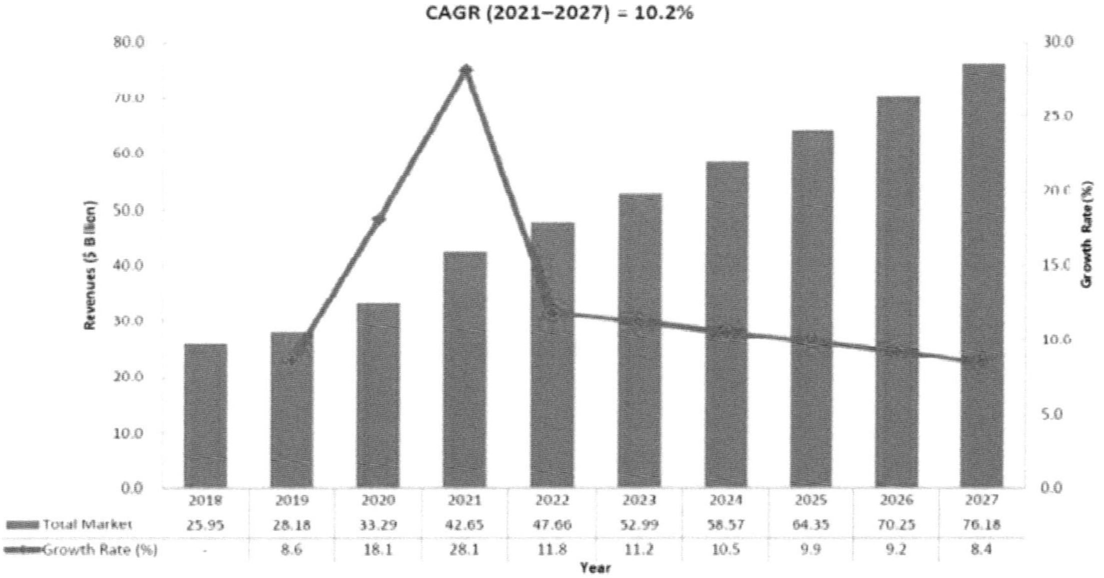

[그림 100] 임상시험 단계의 CRO 산업 시장규모 및 전망

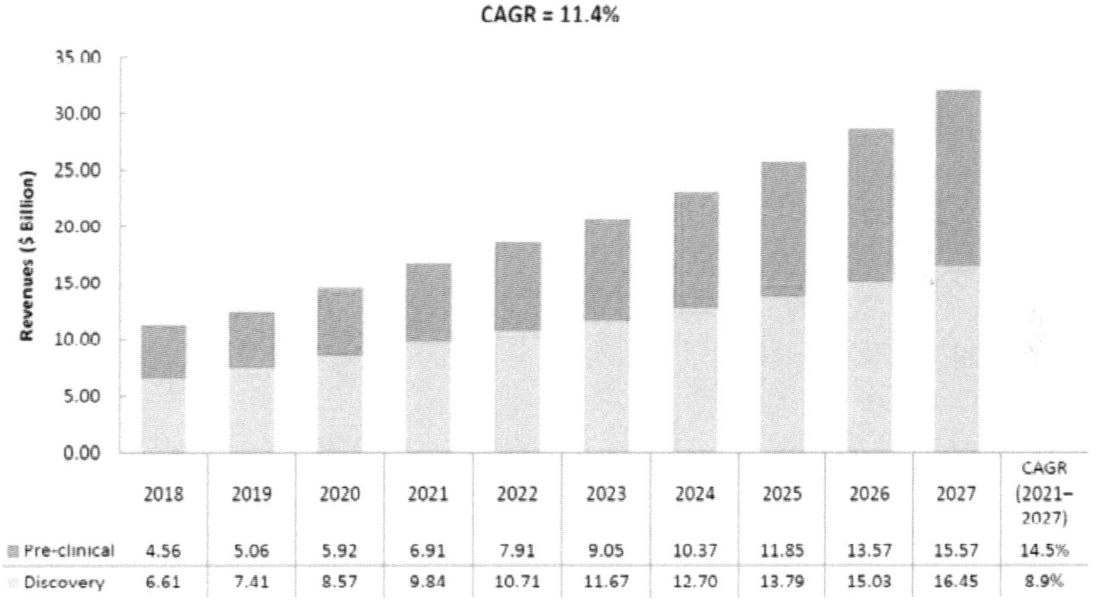

[그림 101] 비 임상시험 단계별 CRO 산업 시장규모 및 전망

그 외 비 임상시험 단계 CRO산업 시장규모는 2021년 약 167억 달러 규모로 2021년부터 2027년(약 320억 달러)까지 연평균 11.4% 성장할 것으로 전망된다.

신약 개발의 혁신은 대부분 중소 부문 제약기업에서 발생할 것으로 기대되며, 아웃소싱의 규모를 확대하는 주요 요인으로 작용된다. 이는 코로나19 팬데믹 대응을 위한 후기 단계 파이프라인 연구 시장이 정상화되면서, 초기 단계의 약물발견, 전임상 단계의 연구가 증가하고 이에 따른 아웃소싱 시장 확대가 예상되는 것이다. 대형 제약사는 지적 재산권 보호 문제로 사내 개발을 선호하나, 표적식별 및 전임상 연구에서 AI/ML 기술 사용을 위해 신약 개발 파트너십을 확대할 예정이다. 신약 개발 파트너십은 약물발견과 생체 내 동물모델 시뮬레이션을 위한 표적 식별 및 전임상 모델을 지원하며, Cryo-EM, ML 알고리즘 등을 이용하여 강력하고 처리량이 많은 계산 플랫폼을 구축하는 것이다.

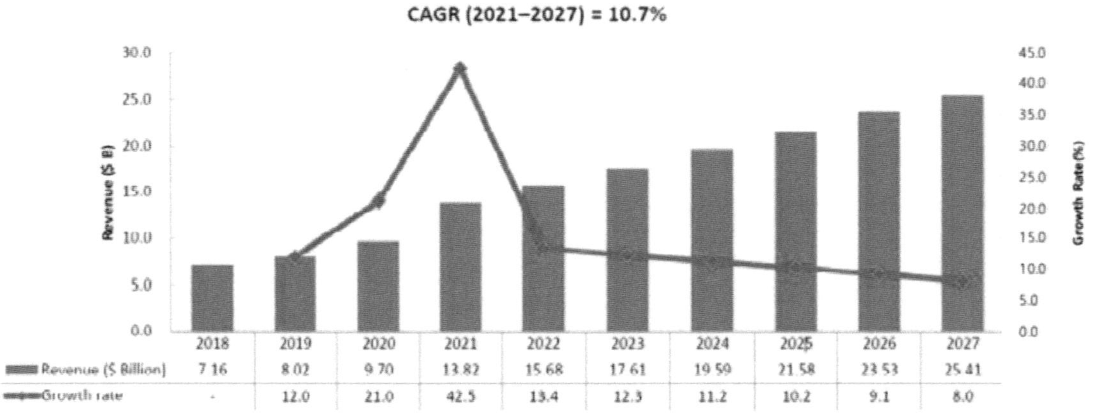

[그림 102] 북미 지역 CRO 산업 시장규모 및 전망

한편 가장 큰 임상 CRO 시장이 형성된 지역은 북미지역으로 전체 시장의 32.4%를 차지하고 있다. 이는 금액으로 따지만 약 138.2억 달러에 해당하는 수치이다. 북미 지역 시장은 2027년 254.1억 달러 규모로 연평균 10.7% 성장이 예상되며, Syneos Health, Labcorp(Covance), IQVIA등의 주요 기업에 기인한다. 북미지역은 대부분 글로벌 리더 기업이 기반을 두고 있으며, 이들이 제약 기업 등과의 파트너십을 지속적으로 유치할 것이기 때문에 향후에도 지배적인 시장으로 자리매김할 것으로 예상된다.

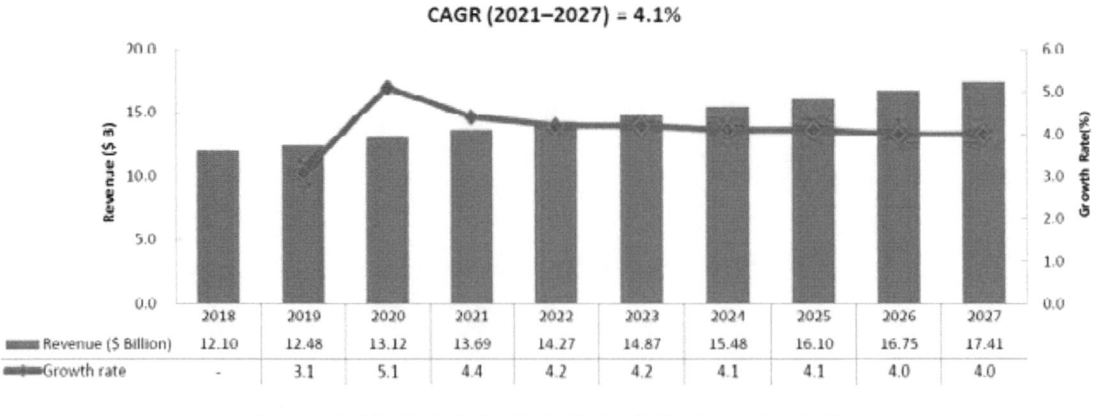

[그림 103] 유럽지역 CRO산업 시장 규모 및 전망

북미 다음으로 유럽 시장이 2021년 약 136.9억 달러(32.1%)로 북미 지역과 동등한 수준으로 나타났다. 유럽 지역 시장의 2021년부터 2027년까지 연평균 성장률은 약 4.1% 성장이 예상되며 ICON plc, Syneos Health, Labcorp 등 지역 기업의 기여도가 높다. 유럽지역은 TEDD 및 약물발굴 서비스에 있어 북미 지역에 근접해 있으나 APAC와 그 외 지역과의 임상시험 유치 경쟁으로 시장 성장률은 낮을 것으로 전망된다.

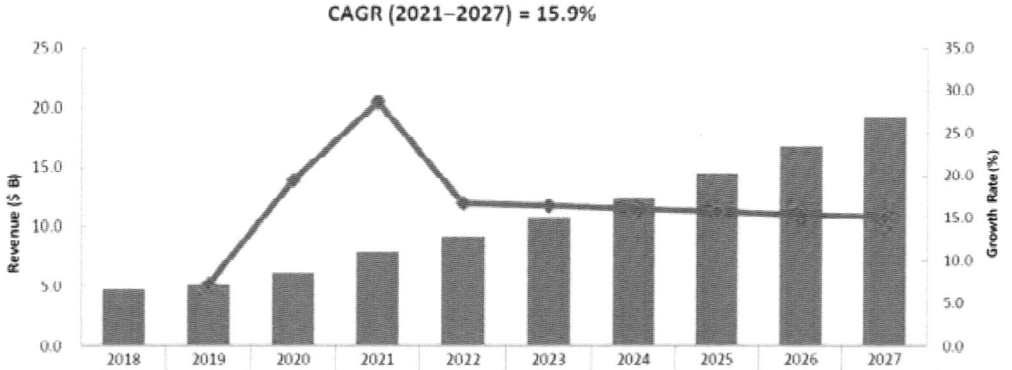

	2018	2019	2020	2021	2022	2023	2024	2025	2026	2027
Revenue ($ Billion)	4.81	5.16	6.17	7.94	9.28	10.80	12.55	14.52	16.76	19.29
Growth rate	-	7.3	19.5	28.7	16.8	16.5	16.1	15.8	15.4	15.1

Year

[그림 104] APAC 지역 CRO 산업 시장규모 및 전망

이어 아시아-태평양 시장은 약 79.4억 달러(18.6%) 등으로 나타났다.

아시아-태평양 시장은 다양하고 많은 인구로 인해 가장 빠르게 성장하는 지역으로 2021년부터 2027년까지 연평균 약 15.9%의 성장이 예상되며, 정부차원의 지원 확대로 임상시험을 유치할 계획이다.

그 외 지역(라틴 아메리카, 아프리카, 중동 지역 등)은 코로나19 팬데믹 기간 동안 많은 환자로 인해 임상시험이 활발하였으며, 2021년 16.9%(약 71.9억 달러) 시장 규모를 가진다. 연평균 성장률로는 2021년부터 2027년까지 11.8%로 전망된다.

한편, 글로벌 CRO 산업에는 1,000개 이상의 기업이 존재하며, 2021년 기준 상위 10개 기업이 전체 시장의 약 60.1%를 점유한다. 상위 10개 기업은 Syneos Health, ICON plc, IQVIA, WuXi AppTec, Labcorp(covance), CRL, Thermo Fisher Scientific(PPD), Medpace, Parexel, Tigermed 가 있다.

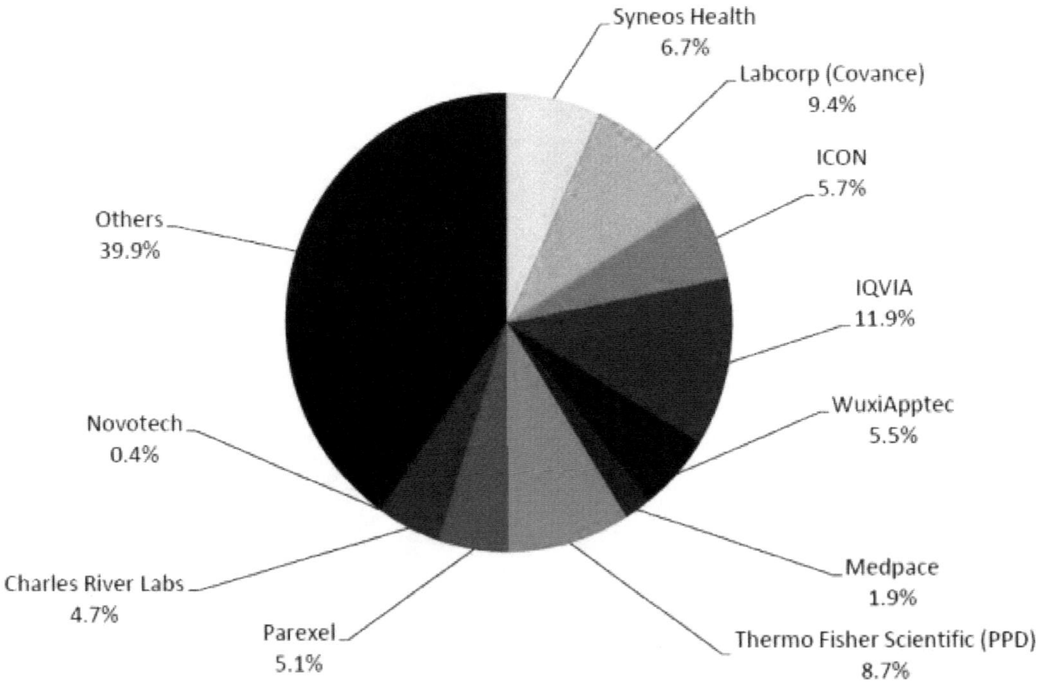

출처 : Frost&Sullivan, Global Contract Research Organization Growth Opportunities(2022.11), 국가생명공학정책연구센터 재가공

CRO 기업은 기업 규모에 따라 상이한 비즈니스 모델을 보유하고 있으며, 신약개발 전반에 대한 서비스 제공이 가능한 CRDMO 모델 구축을 위해 노력하고 있다. 그 중 상위5개 기업은 업계 메가 트렌드에 대한 동조, 임상시험 IT 솔루션, 분산형 임상시험(DCT)구축을 통해 기업 경쟁력을 확보하고, CRO시장의 39.9%를 차지하고 있는 중소형 기업은 점차 세분화된 시장으로 이동하고 있다.

앞으로의 CRO 기업은 End-to-End 약물발굴, 개발, 제조 서비스 지원을 위해 CRDMO모델을 구축하고자 하며 이를 위한 대규모 협력 파트너십 인수를 추진할 계획이다.[76)]

76) BioINdustry(2023)「글로벌 CRO 시장의 현황 및 전망」

4) M&A 동향

2013년 이후 글로벌 제약기업의 M&A는 거래건수와 규모 모두 크게 증가하였고, 라이센싱 거래의 경우 최근 건수는 감소하고 있으나, 거래규모는 과거 대비 증가하고 있는 추세이다. 이는 글로벌 제약기업들이 효율적인 R&D 지출을 위해 자체적인 R&D 투자를 통한 파이프라인 확대보다는 타사 파이프라인 인수에 비용지출을 증가한 결과라고 할 수 있다.

즉, 신약개발에 따른 비용 및 위험 증가로 인해 글로벌 제약기업들은 M&A, 라이센싱 인/아웃과 같은 오픈 이노베이션 전략을 선택하며 자본 효율성 제고를 추구하는 것이다.

특히 최근 M&A는 항암제, 희귀의약품 등 차세대 바이오의약품 파이프라인 확대, 디지털 기술을 접목한 유전체 분석, 정밀의료 부문을 중심으로 이루어지고 있다.

M&A의 목적	
규모의 경제 확보/ 선택적 사업철수	규모의 경제, 시너지 모색 등을 위한 전략부문 인수 또는 핵심부문 주력을 위해 비핵심 부문 매각 등 사업 철수
신규 파이프라인 확보	기존보유 의약품의 특허만료 등으로 신규 파이프라인 확보 필요성 증가 시
바이오 등 신기술, 신사업 진출	기존사업이 아닌 신기술, 신사업 진출 필요 시
NRDO 전략추구	초기 아이템 검증 후 인수하여 후속개발을 통해 신약개발

[표 50] 제약기업들의 M&A 목적

지난 2022년도에 전 세계 제약바이오 기업들의 M&A가 거래 규모와 가치 측면 모두에서 크게 감소하며 수년 만에 최저치를 기록한 것으로 나타났다. 글로벌 경기 둔화에 대한 우려와 금리 상승에 따른 자본 비용 부담 증가 등으로 인해 기업들이 투자 기조를 보수적이고 신중한 방향으로 선회한 까닭이다.

헬스케어 산업 빅데이터 분석기관 아이큐비아는 최근 '2022년 제약바이오 거래(Pharma Deals) 분석'이라는 보고서를 발표하며 2022년 글로벌 제약바이오 섹터에서의 거래들이 여러 역풍(headwind)에 직면했다고 분석했다.

지난 2020년에 발생한 코로나19로 M&A 활동이 잠시 위축됐지만 이듬해인 2021년에는 유수의 제약바이오 기업들이 백신 및 치료제 개발에 반등에 성공했다.

하지만 2022년 들어서는 미 연준의 금리 인상 기조가 지속되면서 글로벌 거시 경제의 불안정성과 자본 시장의 불확실성, 점차 어려워지는 자금 조달 환경 등의 악재가 발생하며 전체 제약바이오 기업들의 M&A(인수합병), 라이선싱, 파트너십 거래 등이 크게 감소했다.

IQVIA Pharma Deals 데이터베이스에 따르면 단독 연구 보조금(standalone research grants)을 제외한 제약바이오 섹터의 2022년 계약 체결 건수는 전년(2021년) 대비 25% 감소하며 위축된 모습을 보였다.

특히 코로나19를 비롯한 바이러스와 관련된 거래 활동이 절반 이상 감소했으며 2022년에 체결된 거래 중에서 코로나19와 관련된 것은 전체의 10% 미만이었다. 월별 거래 체결 건수를 살펴보면 1월에 가장 거래량이 많았고 중반에 정체기를 거쳐 지속적으로 하락하다 12월에 최저 수준까지 떨어졌다.[77]

모든 딜의 건수(펀딩 어워드 제외), 2018-2022년

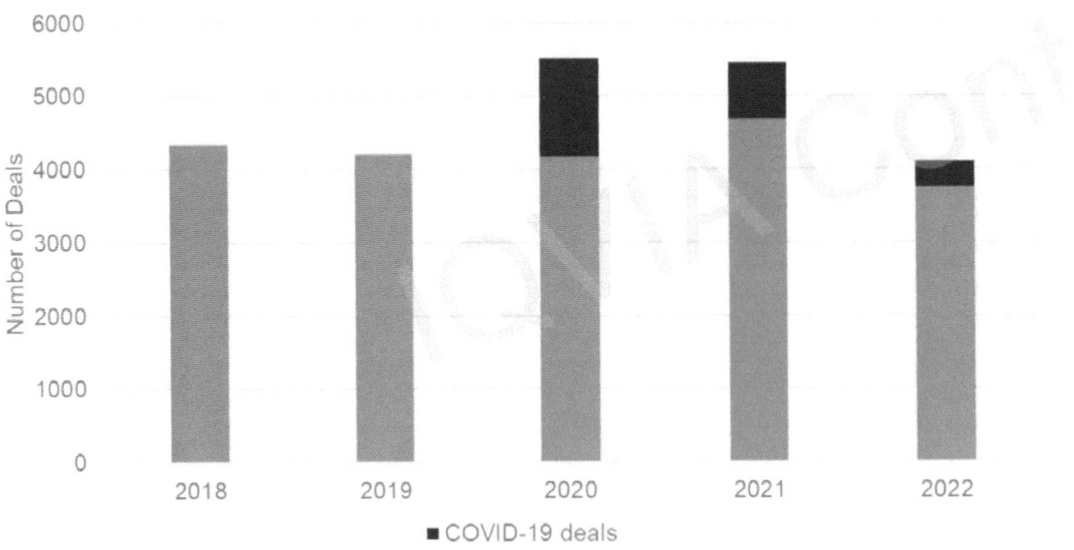

77) 팜뉴스 '지난해 글로벌 제약바이오 M&A, 근 5년간 역대 최저치 기록'

이뿐만이 아니라 제약바이오 거래 중에서도 M&A 영역에서의 둔화세가 두드러졌는데 M&A 규모는 2021년부터 2022년까지 30%가 감소했고 거래 총액과 건수 모두 최근 5년 동안 '역대 최저치'를 기록했다.

아이큐비아 데이터베이스에 따르면, 단독 연구 보조금(Standalone Research Grants)을 제외한 생명과학 분야의 계약 체결 건수는 2022년 전년 대비 25% 감소했다. 특히 바이러스와 관련된 활동은 절반 이상 감소했고 특히 코로나19와 관련된 거래는 전체 10% 미만으로 조사됐다.

2022년 M&A 거래 총 금액은 7억 5700만 달러로 전년 9억 4300억 달러 대비 20% 감소했다. 이는 2019년 코로나19라는 순풍을 얻고 급성장한 16억 200만 달러의 절반에도 미치지 못하는 수치다.

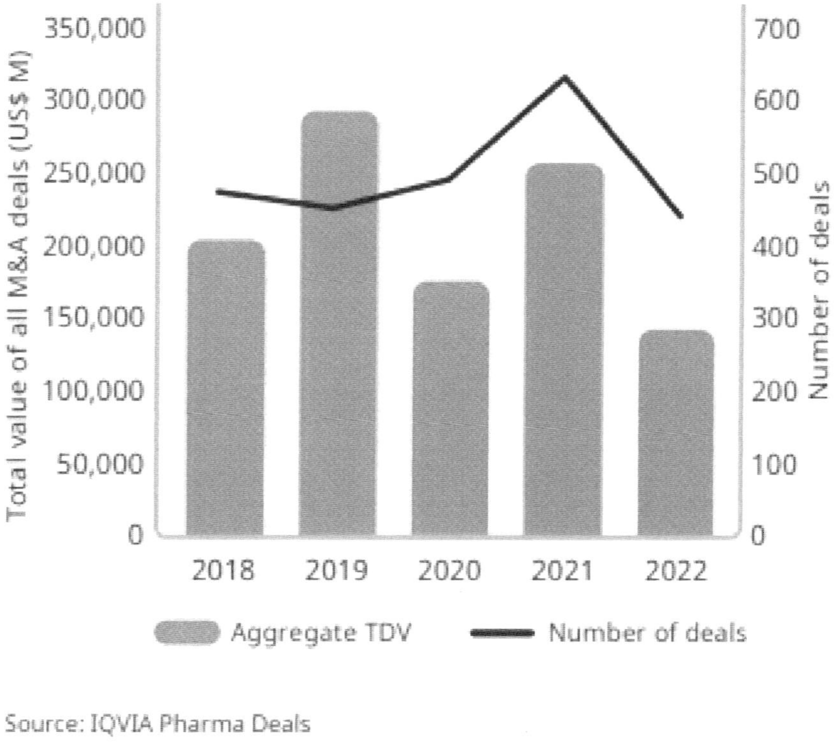

[그림 107] 2018-2022 글로벌 제약사 M&A 거래 총액

상위 10개 M&A 거래의 총액은 849억 달러 규모였다. 이 중 가장 높은 거래 금액은 암젠(Amgen)의 호라이즌 테라퓨틱스(Horizon Therapeutics) 갑상선 안질환 치료제 'Tepezza'를 포함한 희귀질환 치료제 포트폴리오 인수다.

이어 2~5위는 존슨앤존슨(Johnson & Johnson) 에이바이오메드(Abiomed)의 심장, 폐, 신장 보조 기술이 추가된 메드텍(Medtech) 포트폴리오의 다양화 및 확장 인수, 화이자(Pfizer) 바이오헤이븐 파마수티컬(Biohaven Pharmaceutical) 이중 작용 편두통 치료제 'Nurtec ODT'를 포함한 칼시토닌 유전자 관련 펩타이드(CGRP) 프로그램 인수, 다케다(Takeda)의 님부스 락쉬미(Nimbus Lakshmi) 경구 선택적 알로스테릭 'TYK2(티로신 키나아제2) 억제제' 인수, 화이자(Pfizer)의 글로벌 블러드 테라퓨틱스(Global Blood Therapeutics) 겸상 적혈구 질환 치료제 포트폴리오 및 파이프라인 인수다.

상위 10건의 M&A 중 거래규모가 100억 달러 이상은 3건이었다. M&A 거래 금액이 50억~100억 달러 규모는 2022년에는 단 2건인 데 반해 2021년에는 6건이나 됐다.

가장 높은 거래 금액을 기록한 회사는 암젠이지만 가장 많은 양의 거래를 한 회사는 머크(Merck & Co.)다. 머크는 거래 규모가 전년에 비해 28% 감소했음에도 불구하고 2022년 총 55건의 거래를 성사시켰다. 로슈(Roche)가 49건으로 2번째로 많았고, 이어 노바티스(Norvatis), 일라이 릴리(Eli Lilly), 아스트라제네카(AstraZeneca), 화이자(Pfizer), 사노피(Sanofi), 존슨앤존슨(J&J), GSK, BMS 순이었다.

한편, M&A 거래 규모 상위 기업들은 종양학(Oncology)에 집중해 투자를 진행한 것으로 나타났다.

머크 거래의 50%는 면역치료제인 키트루다(Keytruda)와 타사 종양학 에셋을 결합한 임상시험 협력이었다.

로슈도 2022년 주요 종양학 에셋을 중심으로 한 임상시험 협력, 동반 진단, 바이오마커 및 분석 개발을 위한 다양한 공동 개발 계약, 신약 개발 및 라이선스 프로그램을 위한 협력 등의 거래를 진행했다.

2022년 M&A에 가장 지출을 많이 했던 암젠의 거래 내용도 호라이즌 테라퓨틱스 인수를 비롯, 키로센트릭스(ChemoCentryx), Generate Biomedicines, Plexium, LegoChem Biosciences와 같은 종양학에 중점을 둔 회사들과 Y&D 및 기술 협력이 주를 이뤘으며, 사노피도 종약학과 면역학(Immunology) 분야의 신 후보물질 발굴 단계 협력과 관련된 거래가 총 지출액 230억 달러의 대부분을 차지했다.

가장 많은 거래를 성사시킨 딜메이커, 2021년 vs. 2022년

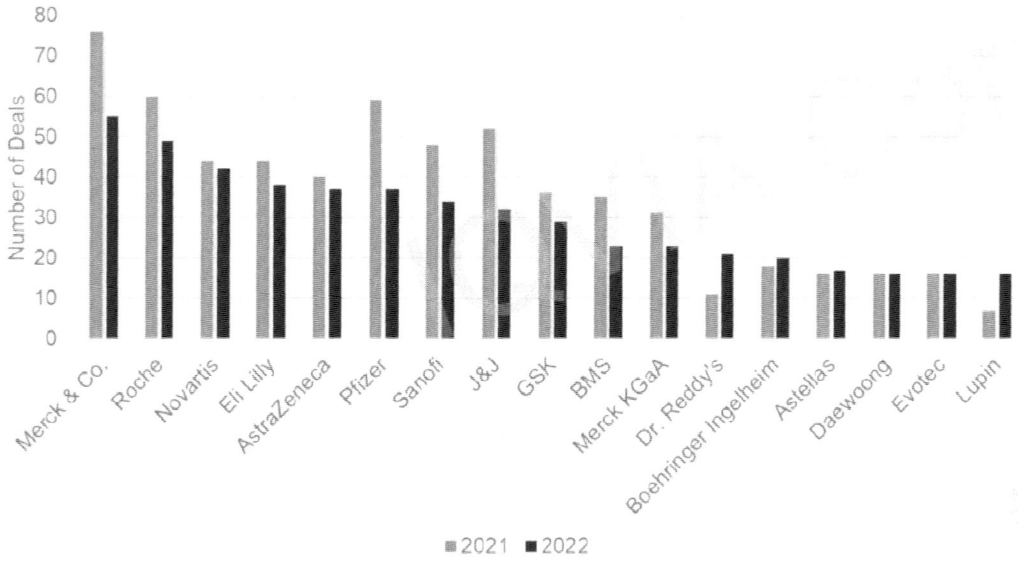

보고서는 "업계는 여전히 인플레이션, 높은 금리, 불안정한 자본 시장과 같은 경제적 불확실성에 직면해 있지만, 2023년 생명과학 분야의 거래 전망은 낙관적인 변화를 보일 것으로 예측한다."며 "특히 암젠의 호라이즌 테라퓨틱스의 인수는 2023년 M&A 시장 활성화의 전조로 작용할 수 있다"고 분석했다.

이어 "2023년에도 종양학 관련 거래량이 주를 이룰 것으로 예상되지만 염증, 면역학 및 희귀질환 분야에서도 주목할 만한 거래활동이 예상된다."며 "글로벌 빅 파마들이 핵심 치료 영역 내 서로 다른 접근 방식을 추구하는 모습을 보이고 있는 만큼, 공동 R&D 활동을 포함한 거래 활동은 코로나19 팬데믹 이전 수준을 유지할 것으로 예상된다."고 전했다.

다만, 글로벌 주식 시장이나 벤처 캐피탈로부터 자금을 조달하는 데 어려움을 겪을 가능성이 존재하는 만큼, 빅 파마의 우선순위가 낮은 자산의 라이센싱 아웃도 주요 추세로 남을 수 있다고 예측했다.[78]

78) 약업신문 '높아진 금리 속 '양'보단 '질'에 집중하는 글로벌 제약사'

5) 국가별 현황

가) 미국[79]

<미국 제약시장 전망 (단위: 달러, %)>

구분	2020	2021	2022f	2023f	2024f	2025f	2026f
제약시장규모 (10억)	368.38	397.38	415.67	428.41	441.38	454.57	467.99
연간성장률	2.61	7.87	4.60	3.06	3.03	2.99	2.95
1인당 의약품비	1,112.9	1,193.6	1,241.5	1,272.5	1,303.8	1,335.4	1,367.4
총 의료비 대비 의약품 비율	8.9	9.5	9.3	9.1	8.9	8.6	8.4

[자료: Fitch Solutions, (f)전망치]

가장 규모가 큰 미국의 의약품 시장은 2017년 4,650억 달러에서 2022년 6,290억 달러로 성장하였으며, 향후 5년간 250개 이상의 신약이 출시되면서 2027년에는 7,630억 달러 규모의 시장을 형성할 것으로 내다봤다.

현재 글로벌 바이오의약품 매출 1위는 화이자·바이오엔텍의 코로나19 백신 코미나티다. 2021년에는 코미나티가 368억 달러 규모 매출을 올렸으며 코미나티는 코로나19 엔데믹에 따라 휴미라에게 다시 1위 자리를 넘겨줄 전망이다.

또한 미국 제약 시장에서 가장 큰 비중을 차지하고 있는 품목은 항고혈압제와 콜레스테롤 조절제(Antihypertensive and lipid regulators prescriptions)로 전체 처방전 중 22.1%의 비중을 차지한다. 미국 질병관리예방센터(Center for Disease Control and Prevention)에 따르면 미국 내 콜레스테롤 농도가 240mg/dL을 초과하는 고콜레스테롤 성인의 수는 약 3100만 명에 달하는 것으로 나타났다.

또한, 정신건강 및 신경계 약품(Mental health and nervous system prescriptions) 처방전 비중이 19.6%로 2위를 나타냈는데 향후 5년간 수요가 더욱 증가 할 것으로 전망된다.

미국 제약협회(Pharmaceutical Research and Manufacturers of America)에 따르면 미국 제약 산업은 미국 내 약 6,150만 명의 정신질환자 치료를 위해 정신건강 약물 개발에 투자를 늘려왔다.

---

79) 미국 제약산업의 미래, 바이오제약에 있다, KOTRA, 2019.04.12

최근에는 바이오제약회사가 불안장애, 우울증, 정신분열증, 물질남용 장애 등 치료를 위한 신약 개발을 위해 학계, 정부 연구기관, 환자협회 등과 파트너십 맺고 공동연구를 수행하고 있다.

통증 및 항박테리아 관련 처방전(Pain and antibacterial prescriptions)은 전체 처방전 중 16.4%를 차지했는데 지난 5년간 의사 처방전 없이 구입 가능한(OTC) 진통제가 증가했으며 비스테로이드성 항염증제(NSAIDs)를 찾는 만성질환자들도 증가했다.

이외에 당뇨병 치료제(Antidiabetes prescriptions), 호흡기 관련 처방전(Respiratory prescriptions), 피부질환 처방전(Dermatological prescriptions)이 각각 5.0%, 4.1%, 2.5%의 비중을 차지했다.

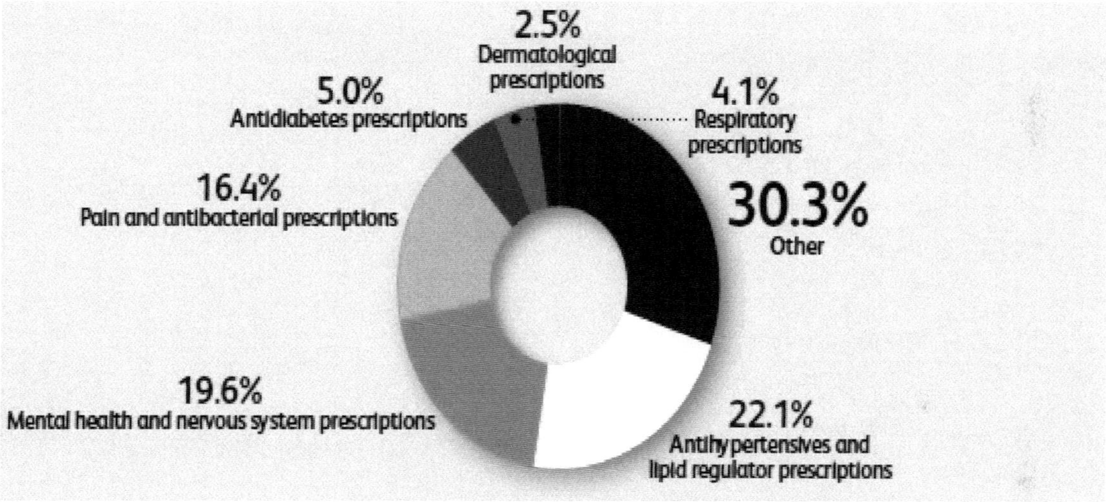

[그림 110] 미국 제약 시장 품목별 비중

미국 제약산업이 직면한 가장 큰 도전은 블록버스터급 제약 특허의 만료인데 특허가 만료되면 값싼 복제 의약품들이 시장에 쏟아져 나오기 때문이다. 제약 전문 저널 US 파마시스트(US Pharmacist)에 따르면 브랜드 의약품의 특허 만료 이후 제약회사의 매출의 90% 가량이 복제의약품으로 대체된다.

미국 내 가장 많이 팔리는 주요 의약품에 대한 특허가 2015년에 대거 만료됨에 따라 많은 제약회사들이 바이오의약품, 희귀병, 전문치료제 등 장기적 성장을 뒷받침 가능한 분야에 전략적으로 집중하기 시작했다.

투자수익률 극대화를 위해 처방 빈도는 낮지만 가격이 비싼 희귀 질환 치료용 신약 개발도 활발히 이루어지고 있는데 희귀 질환 치료제의 경우 '희귀의약품 독점권(Orphan Drug Exclusivity)' 적용을 받아 미국과 EU에서 더 장기적인 특허권을 보장받을 수 있다.

미국은 1983년 희귀의약품법(Orphan Drug Act)을 도입해 공익을 위해 희귀의약품을 생산하는 제약회사에 그 약에 대한 7년간의 마케팅 독점권을 부여했다. 주요 의약품 특허만료에 직면한 제약회사들은 복제 의약품과의 경쟁에서 비교적 보호받을 수 있는 바이오의약품 개발에도 적극적으로 나서고 있는데 많은 바이오시밀러 제품이 시장에 진입하기 시작하면서 성장이 제한됐다.

피치레이팅(Fitch Ratings)에 따르면 글로벌 제약회사 상위 20개 기업 중 8개 기업이 바이오의약품기업인데 2020년 특허가 만료됨에 따라 바이오시밀러 분야의 신규 유입이 늘어나는 추세이다.

향후 바이오시밀러가 미국 제약산업 수익성에 막대한 영향을 끼칠 것으로 전망됨에 따라 대형 제약기업들은 바이오의약품 또는 바이오시밀러 업체와 협력해 제품 포트폴리오를 다양화하는 방식으로 대응하고 있다.

(1) 미국의 주요 바이오 클러스터

① 보스턴(Boston)·케임브리지(Cambridge), MA

보스턴·케임브리지 바이오 클러스터는 지난 2016년 샌프란시스코 베이 바이오 클러스터를 제치고 1위 자리를 차지한 이후 성장세를 이어가면서 그 자리를 지키고 있다.

미국 매사추세츠주 보스턴과 캐임브리지 지역에 형성된 바이오 클러스터에는 세계 TOP 20인 글로벌 빅파마 중 19곳의 연구소가 있다. 또 하버드의대와 메사추세츠공과대(MIT), 하버드의대 교육병원인 메사추세츠종합병원(Massachusetts General Hospital, MGH)와 브리검여성병원(Brigham and Women's Hospital, BWH) 등이 위치해 있다.

보스턴·케임브리지 바이오 클러스터가 유치한 NIH 펀딩은 지난 2016년 5억1,900만 달러(약 7,117억 원)에서 2017년 10억6,000만 달러(약 1조4,534억 원), 2018년 24억 6,000만 달러(약 3조3,716억 원) 등 매년 급증했으며 2022년 32억 달러(약 4조3,824억 원)나 된다.

같은 기간 벤처 캐피탈 펀딩 규모는 20억 달러(약 2조7,394억 원)에서 136억 달러(18조6,333억 원으로 7배 가까이 늘었다.

보스턴·케임브리지 바이오 클러스터에서 등록한 특허는 지난 2016년 5,634건에서 2022년 1만119건으로 늘었으며 바이오 일자리도 8만2,075개에서 10만4,000개로 증가했다.80)

② 샌프란시스코(San Francisco Bay Area)

연례 JP Morgan Healthcare Conference(생명 공학 일정의 정점)가 열리는 곳이자 생명 과학 연구의 온상인 캘리포니아 대학(University of California)에서 중요한 위치를 차지하는 샌프란시스코는 보스턴 바이오클러스터 다음으로 2위를 차지하고 있다.

실제로 Bay Area는 세계 기술 수도일 뿐만 아니라 생명공학 개척자인 Genentech와 그 사이에 3,800만 평방피트 이상의 실험실 공간을 차지하는 신생 스타트업의 본거지이기도 하다. 그 공간은 현재 건설 중인 320만 평방피트가 추가로 증가할 예정이며 CBRE 리서치에 따르면 그 중 38%는 이미 사전 임대되었다.

사우스 샌프란시스코에 있는 제조 및 R&D 시설. 한편, 뇌졸중 치료 스타트업 Imperative Care도 실리콘 밸리 주변 확장 프로젝트의 일환으로 약 40,000평방피트에 계약을 체결했다. 2021년 12월 3000만 달러를 초과한 시리즈 A 파이낸싱 라운드와 함께 공개한 세포 선별 회사인 Nodexus 도 실리콘 밸리 지역에서 26,000평방피트를 임대했다.81)

샌프란시스코의 유일한 1위는 특허 13,550건에 있다. 일자리는 178,958개, 실험실 공간은 4,620만 평방피트 이며, NIH 펀딩부분에서는 4,236건으로, 총 22억 6,600만 달러 4위를 유지하고 있다.82)

80) 청년의사 '세계 1위 美보스턴 바이오 클러스터…주정부 투자가 마중물됐다.'
81) FIERCE 'The top biotech hubs in 2022'
82) GEN 'Top 10 U.S. Biopharma Clusters'

③ **뉴욕(New York)·뉴저지(New Jersey)**

뉴욕시의 바이오클러스터 기관은 NIH 펀딩이 5,287건으로 총 33억 2,600만 달러에 달하는 지역이다. New York/New Jersey는 일자리가 128,000개, 실험실 공간은 2,380만 평방피트로 그 중 79%가 뉴저지에 있다. 벤처 캐피탈에서는 총 48억 6,200만 달러로 2020년에 24억 달러, 2021년과 2022년 1분기에 24억 6,200만 달러이다. 특허는 5,807건으로 나타났으며 뉴욕시는 향후 10~15년 내에 1,000만 평방피트의 실험실 공간이 늘어날 것으로 예상한다.

④ **매릴랜드(Maryland)/버지니아(Virginia)/워싱턴DC(Washington, D.C.)**

메릴랜드/버지니아/워싱턴 DC, BHCR(BioHealth Capital Region)은 Johns Hopkins University에서 FDA 및 NIH 본부까지 다양한 곳으로부터 혜택을 받고 있다. BHCR은 2023년까지 상위 3개 지역이 되는 것을 목표로 하고 있으며, JLL에 따르면 이 지역은 NIH 펀딩 3,992건으로 총 25억 3,600만 달러에 달하며, 특허 6,401개, 실험실 공간 3,550만 평방피트에 달한다. 이는 Cushman & Wakefield와 함께 메릴랜드 주 베데스다에 있는 NIH 캠퍼스 본사 내 920만 평방피트의 실험실 공간이 포함되었다.

이 지역은 일자리 117,378개, 벤처 캐피털 2020-2021년 총 28억 달러로 각각9229만5000달러, 23억8400만 달러로 나타났다.

⑤ **샌디에이고(San Diego)**

서부의 플리머스에 기반을 둔 지역은 다른 범주보다 벤처 캐피털에서 계속 높은 순위를 기록하고 있다. 벤처 캐피털에서는 보스턴/캠브리지와 샌프란시스코에 이어 3위로 2020년 36억1900만 달러, 2021년과 2022년 1분기 각각 48억2000만 달러로 총 84억3900만 달러를 기록했다.

샌디에고는 단일 특허 6,400건로 3위인 BioHealth Capital Region을 제쳤으며, 실험실 공간은 2,230만 평방피트에 달한다. 일자리부문에서는 72,403건이며 미국 노동부의 KPMG 통계 분석을 기반으로 California Life Sciences NIH 펀딩 1,783건 총 10억 3,800만 달러에 달했다.

나) 러시아[83]

러시아 의약품 시장은 Fitch Solutions의 분석에 의하면 달러화 기준으로 2020년 193억 달러로 2019년 199억 달러보다 전년 대비 3% 감소하였으나 2024년까지 242억 달러에 달할 것으로 전망되며, 5년간 연평균 성장률은 달러화 기준으로는 약 3.0%가 될 것으로 전망되고 있다.

러시아 의약품 시장은 2가지 분야로 구성되고 있으며 상업적 분야 (약국)는 75%를 점유하고 국가 분야(병원 공급, 입찰)는 25%를 점유하였다.

구분	2019	2020	2021f	2022f	2023f	2024f
의약품판매 규모	19.9	19.3	21.3	22.2	23.1	24.2
전년대비 성장률	3.1	-3.1	10.9	4.1	3.8	5.1
1인당 의약품 구매 규모	136.1	131.9	146.3	152.4	158.4	166.8
GDP 대비 의약품 판매 규모 비중	1.18	1.21	1.21	1.21	1.21	1.21

[표 51] 러시아 의약품 시장 규모 성장 추세 (자료: AIPM-Remedium, Fitch Solutions)

또한 러시아연방 통계청에 따르면, 2021년 의약품 소비자 물가는 전년 대비 6.6% 상승했다. 의약품 한 패키지의 평균 가격이 지난 2020년보다 12.0% 높은 256루블을 기록했다.

이 같은 추세는 2022년에도 이어져 1~9월 의약품 소비자물가지수는 전년도보다 10.1% 증가했다. 고가 의약품 비율도 전년 대비 높아지며, 소매에서 패키지 당 500루블 이상인 의약품의 점유율은 2022년 9월 54.6%로 전년도보다 6.4% 증가했다.

전문가들은 러시아 소비자의 더 비싼 약과 더 나은 품질의 패키징 제품 소비가 늘어나고, 값싼 의약품 수요가 감소해 나타난 현상으로 평가했다.

83) 러시아 제약산업 발전과 수입대체화 현황, KOTRA, 2020.03.18

<의약품 소비 구조 내 수입 의약품과 국산 의약품(순수 국산 의약품 포함) 비교>

(단위: %)

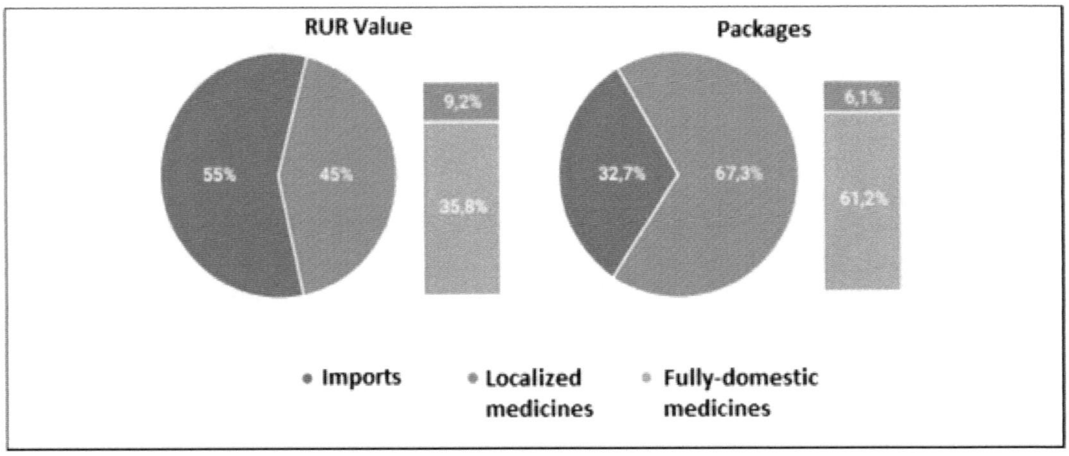

[자료원: DSM Group]

이에 따라 러시아 시장 점유율은 수입 의약품이 약 55%, 러 의약품이 45%의 시장 점유율을 차지했다. 특히 오리지널 의약품에 대한 러 제품의 점유율은 26%, 순수 러 제조업체의 오리지널 의약품은 13%에 불과해 의약품 수입 의존도가 매우 높은 상황이며, 러시아 연방 정부가 자국 의약품 비중의 확대를 위해 적극적인 의약품 수입 대체 정책을 실행하고 있다.

러시아 정부가 자국 제약 산업 발전 지원을 위해 추진한 "2020년까지 제약 및 의료 산업 발전 전략" (Pharma 2020) 정책은 2018년까지 실행되었고, 2018년부터는 Pharma 2030로 변경되었다.

Pharma 2020 실행 시 정부 총 투자액은 250억 루블 (약 3.73억 달러)이며 민간 투자액은 2,000억 루블 (29억 달러)이었으며, 주요 목적은 수입 대체, 현지화, 클러스터 발전이었다.

Pharma 2030의 주요 목표는 의약품 생산뿐만 아니라 의약품 성분 물질까지 현지에서 생산, 러시아 국내산 의약품의 수출량 확대, 제약 분야의 혁신 및 투자 잠재력 강화이며 러시아에서 의약품 생산시 Good Manufacturing Practice, GMP 생산 품질 규정을 준수하고 있고, 유라시아경제연합에서도 이 기준을 받아들일 예정이다. 또한 가짜 의약품의 유통을 통제하기 위해 포장 마크 의무화 시스템이 도입되었다.

이처럼 러시아 의약품 유통에는 수많은 약국 체인이 존재하며 활발히 영업 중이다. 최근에는 특히 의약품 전자 상거래가 활발히 이뤄지고 있는데 대표적으로 지난 2021년 러시아 상위 유통업체 25개 목록에서 3위를 차지한 CV Protek JSC는 러시아 내 81개 지역과 약 1950 개의 약국 파트너를 대상으로 하는 'ZzravCity' 전자상거래 프로젝트를 운영하고 있다.

이렇게 아직까지는 독일 등 서구를 중심으로 한 고가 의약품이 약국 판매대를 채우고 있지만, 러시아 제조사들의 성장도 점진적으로 증가하고 있는 추세로 볼 수 있다.

<2022년 1-10월 러시아의 의약품(HS Code 3004 90) 월별 수입>

(단위: US$ 백만)

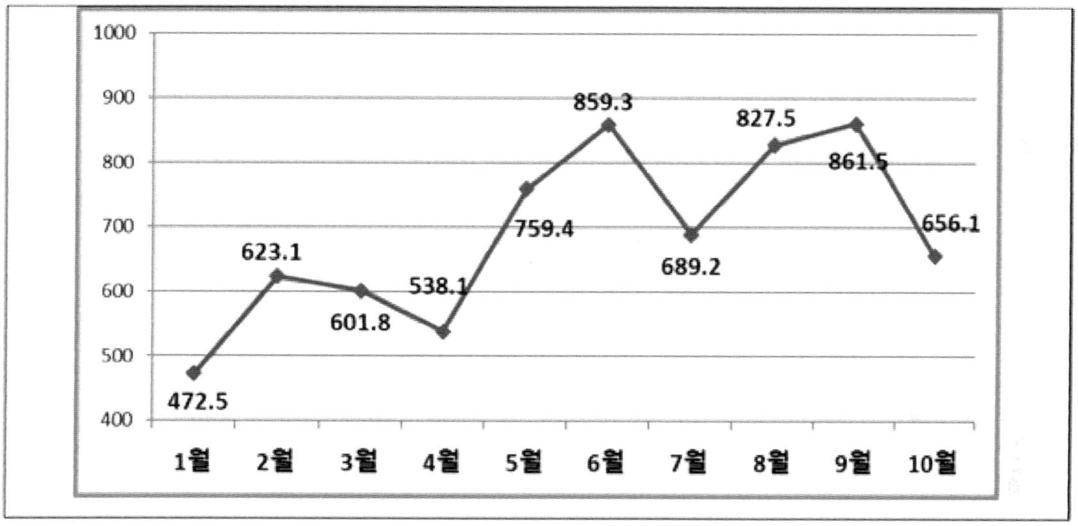

한편, GLobus Fea의 자료에 따르면 2022년 러시아 의약품 수입의 월별 상황은 상승과 하락을 직면하며 변동성을 나타냈다. 대러 제재 본격화 이후, 수입액은 2월 6억 2310만 달러에서 4월 5억3810만 달러로 감소세를 보이다가, 5월과 6월 각각 7억 5940만 달러와 8억5930만 달러로 회복세를 보였다.

하지만 7월~10월까지 등락을 반복했다. 이는 대러 제재, 물류 문제 등에 의한 의약품 수급 불안정과 전반적인 의약품 가격상승 등에 따른 것으로 보인다는 분석이다. 러 의약품과 수입 의약품을 비교하면, 지난 2021년 의약품 매출을 루블 기준으로 했을 때 러 의약품은 전년 대비 18%, 수입 의약품은 전년 대비 11%의 증가세를 보였다.[84)]

84) 의학신문 '러시아 의약품 시장 변동 고려한 진입 전략 필요'

다) 방글라데시[85]

방글라데시의 제약 산업은 의류/섬유 산업의 뒤를 잇는 제2의 국가발전 산업으로 내수 시장의 97%를 자국에서 생산된 의약품으로 조달하고 있으며, 의약품 관련 제조회사 수는 200개에 이르며 정부에서도 차기 산업으로 육성기조에 있다.

신규 의약품이 수입될 경우, DGDA[86]에 등록 및 허가를 득하여야 하는데 그 절차는 통상 2~3개월이 소요된다. DGDA는 최근 89개 품목의 제조 허가를 정지 시키고 19건의 허가는 영구 취소하는 조치를 취하는 등 의약품 품질 관리를 위해 노력하고 있으며 지난해는 14건의 허가를 보류시키고 61개 품목의 허가를 영구 취소한바 있다.

방글라데시는 1971년 독립 후 의약품을 수입에 대부분 의존했으나 1982년 자국 제약산업 보호 정책의 일환으로 Drug Control Ordinance를 시행하여 외국 회사들이 방글라데시 내에서 자국 약품을 판매하지 못하도록 했다.

이후 현지 제약회사들이 크게 성장하여 현재 200개 제약회사에 851개 공장이 가동중이며, 최근 연간 10% 이상의 성장과 더불어 신규 투자 신고 금액도 8천만불에 이르고 있다.

방글라데시의 경우 대부분 복제약(generic medicine)을 생산하고 있으며 약품 원료 및 생산기계 대부분을 수입에 의존하고 있다. 방글라데시는 90% 이상의 약품 원료를 수입에 의존하고 있어 현지 제약산업이 외부 충격에 다소 취약한 점이 있으며 현재 자국내 원료생산 시설 확충에 많은 투자를 하고 있다.

현재 자국 내에서 생산하고 있는 약품은 일반 의약품 이외에 인슐린, 호르몬, 장티푸스, 소아마비, 디프테리아, 인플루엔자 등 20여가지의 세균 및 바이러스성 감염을 치료할 수 있는 백신도 생산하고 있다.

그러나 종양(oncological)관련 의약품은 수입에 의존하고 있으며 현지 제약업체에서도 해당 약품의 자국내 생산을 위해 많은 연구와 투자를 진행하고 있다. 제약관련 기계는 주료 알약, 캡슐, 파우더 공정 장비 및 코팅, 벌크 생산설비 등 다양한데 캡슐커버, 액상 포장, 알루미늄 호일 등 포장관련 기계 설비에 대한 수요가 많다.

---

85) 방글라데시 제약 산업, KOTRA, 2019.12.26
86) DGDA(the Directorate General of Drug Administration, 의약품 관리국) : 보건부 산하의 의약품 관리 관청으로 모든 의약품 원료 및 약품의 수출입 정책 및 허가를 관장하며 의약품 포장재료, 생산, 판매, 가격 등을 관리

방글라데시 의약품산업 협의회(BAPI)에 따르면, 30억 달러에 달하는 전체 수요의 98%가 국내 생산으로 충당되며 EU를 비롯한 전 세계로 제품을 수출하고 있다. 미국 IMS(Intercontinental Medical Statistics)에 따르면, 2025년 방글라데시 의약품 시장은 60억 달러를 상회할 전망이다. 그러나 의약품 원료 경우 수입에 크게 의존하고 있기 때문에 방글라데시 정부는 의약품 원료 자체 생산을 강화하기 위해 의약품 원료 제조공단 설립을 진행 중으로, 이에 따라 관련 기계류 및 설비 수입 수요가 크게 증가할 전망이다.

방글라데시 투자개발청(BIDA)의 '2025년 방글라데시 의약품시장 전망' 보고서에 따르면, 방글라데시 의약품 시장은 2019년부터 2025년까지 연평균 12% 이상 성장세를 보일 전망이다. 전체 수요 대부분을 국내 생산으로 충당하며 수출도 증가세를 보이고 있다. 방글라데시 의약품산업협의회에 따르면, 2021년 기준 방글라데시에 등록된 257개 의약품 제조업체 중 150개사가 공장을 가동 중으로, 방글라데시는 의약품 원료 생산을 위한 산업공단인 API(Active Pharmaceuticals Ingredient) 파크 설립을 통해 수출을 더욱 증대시킬 계획이다.

약 30억 달러에 달하는 방글라데시 의약품 시장은 10억 달러 이상 규모 의약품 원료를 필요로 하지만 전체 의약품 원료 수요의 8% 미만만 현지 생산으로 충당하고, 나머지는 수입에 의존하고 있는 실정이다.

방글라데시 정부는 의약품 원료에 대한 수입 의존도를 낮추기 위해 API 파크를 조성하고 국내외 기업들을 위치하기 위해 노력 중이다. 이로써 2032년까지 API 개발에 10억 달러의 투자를 유치하고 수입 의존도를 80%로 줄이는 것을 목표로 2018년 API 정책을 개발했다. 이 전략은 2032년까지 API 수출 수입을 늘리고 550만 명의 고용을 창출하는 것을 목표로 한다.

최근에는 특별 API 파크도 건설되었다. 연간 3개의 분자를 개발할 수 있는 회사는 75% 면세 혜택을 받을 수 있으며 연간 5개의 분자를 개발하는 회사는 100% 면세 혜택을 받을 수 있다. 또한 기업은 연간 매출의 최소 1%를 R&D에 투자하고 점차적으로 학계 및 연구 기관과의 협력을 강화해야 한다. 앞으로 방글라데시는 API 시설을 업그레이드하고 API 정책에서 분명히 강조한 제약 부문에서 많은 FDI를 유치하기 위해 많은 투자와 노력을 할 것으로 전망된다.[87][88]

---

87) 방글라데시,의약품원료 제조공단 설립..제조 생산 기계 설비 수요 증가/ 팜뉴스
88) The Business Standard 'LDC graduation: What lies ahead for the pharmaceutical sector of Bangladesh?'

라) 아랍에미리트[89]

2021년 UAE 의약품 시장 규모(판매액)는 37억 달러이며 2026년에는 50억 달러에 이르러 연평균 6%의 성장을 보일 것으로 전망된다. 2021년 370.4달러 선이었던 1인당 의약품관련 지출액은 2026년 477.3달러까지 늘어날 전망이나, GDP대비 지출 비중은 1% 미만을 유지할 전망이다.

구분	2021년	2022년	2023년	2024년	2025년	2026년
의약품 시장 규모 (십 억 $)	3.701	3.914	4.141	4.391	4.667	4.965
1인당 의약품 지출액($)	370.4	388.3	407.3	428.6	452.0	477.3
GDP 대비 의약품 지출 (%)	0.92	0.85	0.86	0.88	0.89	0.91

[표 52] 아랍에미리트 의약품 시장 규모

늘어나는 인구 및 만성질환에 기인, 의약품 수요가 늘어나면서 UAE의약품 시장은 더욱 커질 것으로 보인다. UN에 따르면 928만 명으로 집계된 2020년 UAE 인구는 2030년 1,110만 명으로 수준으로 늘어날 것이며 더위로 외부 활동이 제한되고, 자동차 위주의 생활, 육식위주의 식습관으로 비만과 당뇨, 심장질환 등은 심각한 사회문제로 대두되고 있기 때문이다.

2022년 들어 UAE 보건부(Ministry of Health & Prevention)는 두바이 보건청(Dubai Health Authority), 아부다비보건청(Abu Dhabi Public Health)과 공조, 비만과 관련 합병증 예방을 위한 전담반을 신설하고 청소년들의 식사·운동습관 교정을 통해 건강한 사회를 구축하기 위한 노력을 시작하였지만 비만과 과체중인 인구 비중은 남성의 경우 70.8%, 여성의 경우 64.9%에 달한다.

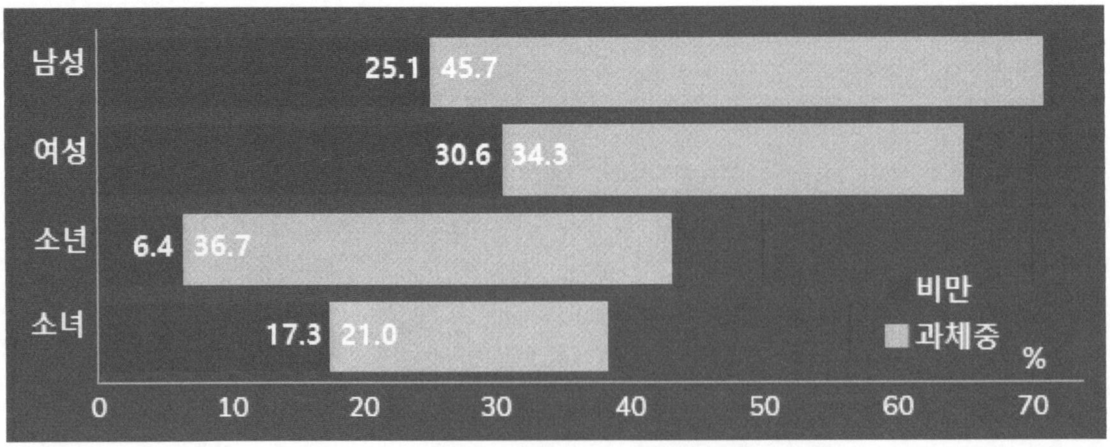

[그림 113] UAE 인구 중 비만 및 과체중 현황

89) UAE 의약품 시장동향, KOTRA, 2019.10.18

이에 따른 아랍에미리트 전체 의약품 시장 내 처방의약품이 80% 이상으로 가장 큰 비중을 차지하고 있다. 이는 인구증가와 당뇨, 심혈관 질환 등 만성질환 환자 증가에 기인한 것으로 보인다.

구분	2021년	2022년	2023년	2024년	2025년	2026년
처방의약품 판매액	3.231	3.430	3.641	3.874	4.131	4.410
처방의약품 비중	87.3	87.6	87.9	88.2	88.5	88.8

[표 53] UAE 처방의약품 시장동향 (단위:US$ 십억, %)

2021년 UAE 처방의약품(Prescription Drug) 시장규모는 32억 달러로 추산되며 2026년까지 연평균 6.4% 성장을 보일 전망이다. 전체 의약품 판매에서 처방의약품이 차지하는 비중은 85%를 이상으로 큰 비중을 나타낸다.

처방의약품은 크게 특허의약품(Patented Medicine)과 제네릭 의약품(Generic Medicine)으로 나뉘는데, 이때, 합성 의약품(복제품)이란 특허 기간이 만료된 의약품과 성분, 효능 등이 동일한 의약품을 의미 한다.

특허의약품의 경우 합성 의약품(복제품)보다 가격이 높은 편이나 브랜드 충성도가 높은 고소득층의 수요가 이어지고 있으며, 의료 보험 의무화 정책으로 의료비 개인 부담이 줄어든 것도 특허의약품 수요 증가에 영향을 미친 것으로 분석된다.

아랍에미리트 정부는 비교적 저렴해 부담이 적은 합성 의약품(복제품) 소비를 장려하고 있다. 아부다비 보건부(DoH, Department of Health)는 대체 의약품(합성 의약품, 복제품)이 있는 의약품 카테고리에 기준 가격을 설정해 의료시설에서 환자들에게 더 많은 합성 의약품(복제품)을 제공할 수 있도록 하고 있다.

구분	2021년	2022년	2023년	2024년	2025년	2026년
특허의약품 판매액	2.518	2.668	2.828	3.004	3.198	3.407
합성의약품 복제품 판매액	0.713	0.761	0.813	0.870	0.933	1.002

[표 54] UAE특허의약품, 합성의약품 복제품 시장동향 (단위:US$ 십억)

2021년 특허의약품(Patented Drug) 시장규모는 25억 달러이며 2026년까지 연평균 6.0% 성장할 전망이다. UAE 정부가 가격이 저렴한 복제약 소비를 장려하고 있음에도 완비된 의료보험 시스템으로 약제 개인부담금이 낮으며 글로벌 브랜드에 대한 충성도가 높은 시장특성 상, 전체 처방의약품 중 특허의약품 비중은 80%에 달하고 있다. 반면 2021년 합성의약품 복제품(Generic Drug) 시장규모는 7억 달러로 전체 의약품 시장의 19.3%를 차지하고 있다. 2026년까지 연평균 7.0% 성장, 복제품의 성장세가 특허의약품의 성장세를 웃돌 전망이다.

구분	2021년	2022년	2023년	2024년	2025년	2026년
일반의약품 판매액	0.470	0.485	0.500	0.517	0.536	0.556
판매액 증가율	2.98	3.14	3.15	3.40	3.61	3.71
전체 의약품 판매액 대비 일반의약품 비중	12.7	12.4	12.1	11.8	11.5	11.2

[표 55] UAE 일반의약품 시장동향 (단위: US$ 십억, %)

다음으로 아랍에미리트의 일반의약품 시장에 대해 살펴보도록 하자. 일반의약품은 의사의 처방 없이 소비자에게 판매가 가능한 의약품을 의미한다. 2021년 UAE 일반의약품(Over The Counter, OTC) 시장규모는 4.7억 달러이며, 인구 증가 및 약국 프렌차이즈의 공격적인 확장에 힘입어 2026년까지 연평균 3.4% 성장할 전망이다. 반면 의사 진료 후, 처방전을 통한 약제를 선호하는 소비자 특성상 전체 의약품 시장 내 일반의약품 비중은 점차 줄어들어 2031년경에는 10% 미만에 이를 것으로 보인다.[90)]

아랍에미리트 정부는 석유•가스산업 의존도가 높은 자국 산업구조를 다각화하고 비석유부문의 GDP 기여도를 제고하고자 제조업 육성에 박차를 가하고 있다. 이때, 중점적으로 육성하는 제조업 분야에 제약산업이 포함되었다. 또한 제조업 육성을 통해 수입 의약품에 대한 높은 의존도를 낮추고 UAE를 인근 지역 내 제약 허브로 만들고자 하고 있다.

또한 두바이 산업전략 2030을 통해 제조업을 통한 부가가치 창출과 GDP 기여도 제고를 통한 두바이의 글로벌 제조업 플랫폼으로의 변모를 목표로 하고 있다. 해당 전략에는 제약•의료기기를 포함해 6개 분야의 제조업 집중 육성 계획이 포함되어 있다.

90) Kotra 해외시장뉴스 'UAE의약품 시장동향'

마) 사우디아라비아[91]

Mordor Intelligence가 발표한 보고서에 따르면 사우디아라비아의 제약 시장은 2021-2026년 예측 기간 동안 연평균 복합 성장률(CAGR) 7.17%로 성장할 것으로 예상된다. 시장은 2026년까지 SAR 361억 1천만(약 USD 96억 3천만)에 이를 것으로 예상된다. 이같은 시장의 성장은 만성 질환의 부담 증가, 인구 고령화, 의료 인프라 활성화를 위한 정부 시책과 건강보험 적용 범위 확대 등 다양한 요인에 기인한 것으로 풀이된다.

사우디는 현재 달고 짠 식습관으로 인해, 심장병, 당뇨 등의 질병 환자 매년 증가하고 있으며, 친척 등 근친결혼이 널리 퍼져있어 이에 따른 각종 질병도 지속적으로 증가하고 있다.

사우디는 3,400만 인구로 현재 GCC 6개국 중 가장 큰 의약품 단일 시장을 보유하고 있으며, 인구의 50%가 30세 이하로 향후 10년 동안 의약품 시장 규모 대폭 증가할 전망이다.

사우디는 고온건조한 기후로 인한 운동부족, 달고 짜게 먹는 식습관으로 인해 심장병, 고혈압, 당뇨병 환자가 많아 고혈압 치료제, 혈당조정제 등 의약품 수요가 지속적으로 증가하고 있다.

사우디는 사우디 비전 2030의 일환으로, 현지 의약품 제조업 육성을 추진하고 있다. 이 정책의 일환으로 보건의료 현지 육성을 위한 글로벌 빅파마(Big Pharma)와 현지 JV설립을 추진하고 있다. 또한, 기술 제휴 등을 통해 제네릭 의약품 현지생산을 추진하고 있으며, 2019년 4월 서울에서 개최된 한-사우디 비전 2030 경제공동위원회 이후 일부 한국 기업과 JV 설립을 추진했다.

사우디의 경우 의약품 수입업체 및 유통업체들은 도매업체 또는 직접적으로 약국에 제품을 공급하고 있으며, 외국 제약사의 사우디 내 의약품 유통은 법적으로 금지되어 있다. 따라서 모든 제약사는 사우디 내 현지 에이전트를 보유하고 있으며, 에이전트는 제품 수입부터 공급까지 수행하고 있다.

글로벌 제약사로부터 의약품을 수입한 사우디 에이전트는 전문도매업체 통하거나 자체적으로 약국에 의약품을 유통하고 있다. 유로모니터에 의하면 의약품 소비자 판매는 전체의 99.3%가 오프라인을 통해 이루어지며, 이 중 전문의약품 판매점이 86.3%를 차지하고 있다.

---

91) 사우디 의약품 시장동향, KOTRA, 2019.10.16

5. 특허정보

5. 특허정보

특허정보는 등록된 특허만 소개하도록 한다.

등록번호	발명의 명칭	최종권리자	공고 일자
1022741070000	무인 키오스크 플랫폼과 이를 이용한 드라이브 스루 주문 방법	파킹클라우드 주식회사	2021.07.08
1022494890000	다중 포스 연동을 위한 무인 주문 서비스 지원 장치	티오더 주식회사	2021.05.07
1022498170000	24시 무인 안경점 서비스 시스템 및 방법	주식회사 아이블랭크	2021.05.07
1022570000000	무인공간 운영시스템 및 무인공간 운영방법	(주) 진코퍼레이션	2021.05.27
1022849880000	무인 점포에서의 결제 방법 및 이에 대한 시스템	주식회사 스마트로	2021.08.03
1022252430000	건설현장 무인관리시스템 및 무인관리방법	경북대학교 산학협력단	2021.03.12
1022588100000	성인인증이 필요한 제품판매용 무인 판매시스템	하나시스 주식회사	2021.06.02
1022685130000	셀프장비 무인 결제 방법	(주) 코리아런드리	2021.06.24
1023295440000	무인 스터디 카페 고객 지원 시스템의 제어 방법	주식회사 비온탑	2021.12.27
1022830520000	무인 카페 운영 시스템 및 방법	비전세미콘 주식회사	2021.07.29
1022596370000	무인 방송을 위한 인공지능 기반 방송 송출 시스템	(주)와이즈콘	2021.06.02
1023239170000	영상 감시 장치를 이용한 무인 주차 관리 시스템 및 그 방법	주식회사 세연테크	2021.11.09
1023461660000	매대 감지 및 무인결제 서비스 제공 방법 및 장치	(주)트리플렛	2022.01.04
1023352490000	무인 음료 제조시스템의 음료 배출장치	(주)플레토로보틱스	2021.12.06
1022568960000	무인 스마트 파킹 시스템	더함비즈 주식회사	2021.05.27
1023271740000	무인주차 관제 시스템	한양공영(주)	2021.11.16

등록번호	발명의 명칭	최종권리자	공고 일자
1022864750000	무인운전 열차 위치 복구방법	현대로템 주식회사	2021.08.06
1022345550000	무인 매장 운영을 위한 방범 및 보안 관리 방법, 장치 및 시스템	주식회사 만랩	2021.03.31
1022214460000	클라우드를 이용한 무인 주차 관제 방법 및 시스템	주식회사 비엔인더스트리	2021.03.02
1022970490000	지급 결제 서비스와 연동된 무인 환전 장치	주식회사 머니박스	2021.09.02
1022233930000	스마트 위치조정 주차요금 무인정산 시스템	주식회사 대영아이오티	2021.03.08
1023403840000	무인 배송 운영 방법 및 장치	한국 전자통신연구원	2021.12.16
1023386890000	무인 냉장고 매장을 운영하는 방법 및 장치	주식회사 아빠컴퍼니	2021.12.13
1023386180000	휴먼 에이전트에 의하여 보조 되는 무인 대화 서비스 제공 방법	삼성에스디에스 주식회사	2021.12.10
1023339480000	중고 전자기기의 가치 분석, 데이터 삭제, 결제, 수납 및 보관 기능을 갖는 무인 지능형 중고 전자기기 매입 시스템 및 그 운영 방법	민팃(주)	2021.12.03
1023348060000	공동주택 건축물의 무인화재 감시시스템	동양컨설턴트 주식회사	2021.12.06
1023285060000	무인 공공정보 수집 시스템 및 방법	주식회사 유오케이	2021.11.19
1023228950000	치킨 무인 조리시스템의 냉장보관장치	엠투테크 주식회사	2021.11.05
1023244550000	무인 매장 원격 관리 시스템 및 방법	(주) 오래	2021.11.12
1023189170000	무인 택배함 및 이를 이용한 택배물품 배송 시스템	주식회사 스마트큐브	2021.10.28

6. 참고사이트

6. 참고사이트

1) catch.co.kr
2) LG전자, 화면 키워 잘 보이는 '셀프 주문' 키오스크 출시,매일경제,2022.04.05
3) 인크루트
4) 코리아센터, 키오스크 1위 '씨아이테크'에 '스탬프팡'솔루션 공급, 황상욱, 부산일보, 2020.06.22
5) 씨아이테크, 무인민원발급기 지자체 납품 조달 등록, 한경, 2022.02.28
6) 복사기 들여놓는 편의점, 재택근무 플랫폼 노린다, 한국경제, 2020.07.16
7) BGF리테일, 무인리테일 테크·보안산업 활성화 앞장, 신아일보, 2021.12.28
8) BGF리테일, 美 무인결제 솔루션 스타트업에 123억 투자, 전자신문, 2021.11.18
9) 잡코리아
10) 인크루트
11) GS25, 업계 최초 무인점포 원격관리 솔루션 '무인이오' 도입, 뉴스와이어, 2022.01.10
12) SK쉴더스-GS리테일, '무인화 시장' 선도 나섰다, 이지경제, 2021.11.24
13) catch.co.kr
14) 인크루트
15) 슈프리마, BGF리테일과 '안심스마트점포' 관련 기술 협력 강화 / 슈프리마
16) 사람인 채용공고
17) 사람인
18) catch.co.kr
19) [소비자민원평가대상-보안] 에스원, 무인 감시 솔루션 등 첨단 시스템 호평 / 소비자가만드는신문
20) 잡코리아
21) 무인화 시대, 모바일 플랫폼 역할 확대, 삼성증권, 2019.10.11
22) 엘리비젼(276240), 하이투자증권, 2021.06.10
23) 무인화 시대, 모바일 플랫폼 역할 확대, 삼성증권, 2019.10.11
24) "스마트주문→네이버주문" 확대…수수료 공짜인 '비대면주문' 왜 키울까, 뉴스원, 2021.04.05
25) 브알라, 카카오톡 챗봇 주문 서비스·나우 웨이팅 키오스크 도입, 연합뉴스, 2020.07.10
26) 생체인식 기술 및 시장동향, 연구성과실용화진흥원, 2016.02
27) 생체인식, IR협의회, 2021.07.29
28) 출저: <보안시스템의 새로운 물결, 바이오 메트릭스 시장이 뜬다.>
29) 탈중앙화 신원증명(DID), 데이터의 주권은 '개인'에게 있다!, 코스콤리포트
30) 유통 4.0이란, 유통산업에 인공지능(AI: Artifical Intellingence), IoT(Internet of Things)등 4차 산업혁명기반 기술들이 활용되면서 유통서비스 초지능·초실감·초연결화가 실현된 현상을 말한다. 유통 4.0으로 거래비용이 크게 절감되는 등 효율성이 증대되었고, 제조사와 고객 간 정보 비대칭성이 크게 완화되었다.(자료: 삼정 KPMG 경제연구원) 산업통상자원부는 유통 4.0시대의 세가지 특징을 ①산업 내/산업간 융합에 따른 업태간 경계의 붕괴, ②기술혁신에 따른 가치창출ㄹ 원천의 근본적 전환, ③ 국경간 장벽으 ㅣ완화로 인한 국내외 시장 통합으로의 가속화로 설명했다.
31) 자료: 삼성 KPMG 경제연구원
32) 무인화 시대, 모바일 플랫폼 역할 확대, 삼성증권, 2019.10.11
33) 엘리비젼(276240), 하이투자증권, 2021.06.10
34) 자료:통계청 경제활동인구 조사(2021)
35) <무인포스 확산…햄버거 주문이 버거운 노인>, 블로터
36) 출저: 한국정보화진흥원, '2021 디지털 정보격차 실태조사'
37) 2020년 7월 정부는 관계부처 합동으로 그린 뉴딜(저탄소·친환경 경제로의 전환 유도)과 함께 디지털 뉴딜(디지털 경제로의 전환 유도) 정책을 추진하기 위한 「한국판 뉴딜 종합계획」을 발표하였다.
38) 금융안정보고서, 한국은행, 2020.12
39) 디지털 전환에서 두각 보이는 신한은행...디지털 점포 3종 런칭, '2022 CES'에 AI 시스템도 출품, 컨슈머뉴스, 2021.12.31
40) KB국민은행, AI은행원 키오스크 순차 오픈, 경인매일, 2022.01.26
41) KB국민은행, 수도권 혼잡점포 내 '화상상담 서비스' 시범 도입, 아주경제, 2021.12.13
42) 하나은행, 출입 무인결제 등 오프라인서도 얼굴인증 서비스 확대한다, 푸드경제신문, 2022.01.21
43) CU서 하나은행 업무 본다...상업자 표시 편의점 국내 첫 오픈, 전자신문, 2021.10.12
44) 왕복 20㎞ 날아 의약품 배달… 美 '드론 배송' 첫 상용화, 조선일보, 2022.04.14
45) 청소·택배·셔틀버스, 이미 자율주행 완성… 국내 최고기술, 조선일보, 2022.04.01
46) 사진 출저: 롤스로이스
47) 경남도, 해검Ⅱ 운항 등 `무인선박` 실증 성공, 매일경제, 2020.09.23

48) 0.3초만에 얼굴인식… `비대면 솔루션` 늘리는 물리보안 빅3, 디지털타임스, 2020.09.07
49) [SECON & eGISEC 2022] 슈프리마, 무인매장 및 3세대 보안 솔루션으로 참관객 눈길 사로잡아, 보안뉴스, 2022.04.20
50) 에스원 R&D센터, 차세대 보안 기술 개발 '산실, 전자신문, 2022.04.24
51) HN-HN시큐리티-에이치닥테크놀로지, 제21회 세계 보안 엑스포서 미래 보안 기술 선보여, EPNC, 2022.04.21.
52) [산업리포트]'무인 편의점' 확산…신소매 생태계 커진다, 전자신문, 2021.08.10
53) 현대백화점 무인매장 '언커먼 스토어' 누적 방문객 10만명 돌파, 아이뉴스24, 2022.03.31
54) MZ Report-20] MZ는 무인점포에서 쇼핑한다, 한국섬유신문, 2022.01.14
55) 청춘세탁, 비대면 로봇 세탁 서비스 시범운영, 로봇신문, 2020.09.15
56) 열린, 24시 헬스장 프랜차이즈 '오픈짐' 1호점 의정부에 론칭, 한국데이터경제신문, 2020.02.11
57) 中 상하이 '코로나19' 봉쇄 속 무인 로봇 카페 화제, 로봇신문, 2022.04.05
58) [포토] '로봇이 만든 커피 마셔볼까'...고속도로 휴게소에 속속 등장하는 '로봇', 중앙신문, 2022.03.29
59) <일본을 넘어선 한국의 무인사물함, 기술이 중요한 이유>, CLO(2017.01.03)
60) 자료 : 과학기술정보통신부(2018. 1), "무인이동체 기술혁신과 성장 10개년 로드맵".
61) 드론 서비스 시장, 연구개발특구진흥재단, 2019.12
62) 자료: IHS
63) 실리콘밸리에서 미래자동차의 모습을 보다 - ③ 4차 산업혁명시대 융복합 기술의 결정체: 자율주행 자동차, 이지현, KOTRA, 2020.04.28
64) 세계의 자율주행차 시장 전망, 연구개발특구진흥재단, 2018.11
65) 2026년 90조원 드론 시장…'후발 주자' 한국, 상업용 드론 정조준, 조선비즈, 2020.06.29
66) 『4차 산업혁명 기반 드론 산업』 국내외 동향연구 보고서, 경상북도, 2019.11
67) 출처: 자동차전용도로 자율주행 핵심기술 개발사업, 한국과학기술기획평가원
68) 스마트카, 한국 IR협의회, 2020.07.02
69) 중소기업 전략기술로드맵 2021-2023 스마트시티, 중소벤처기업부
70) 사이버 보안 시장, 연구개발특구진흥재단, 2018.12
71) 클라우드 보안 시장, 연구개발특구진흥재단, 2021.04
72) 대화형 키오스크 시장, 연구개발특구진흥재단, 2021.03
73) 생체인식 시스템 시장, 연구개발특구진흥재단, 2021.04

초판 1쇄 인쇄 2023년 10월 14일
초판 1쇄 발행 2023년 10월 23일

편저 비피기술거래 비피제이기술거래
펴낸곳 비티타임즈
발행자번호 959406
주소 전북 전주시 서신동 780-2 3층
대표전화 063 277 3557
팩스 063 277 3558
이메일 bpj3558@naver.com
ISBN 979-11-6345-487-8 (13470)
정가 66,000원

이 도서의 국립중앙도서관 출판예정도서목록(CIP)은 서지정보유통지원시스템홈페이지(http://seoji.nl.go.kr)와국가자료공동목록시스템 (http://www.nl.go.kr/kolisnet)에서 이용하실 수 있습니다.